LE
CIEL

TEXTES :

Maurizio Battello

Ariel Brunner

Luca Mercalli

Riccardo Niccoli

Carlos Solito

Jasmina Trifoni

Adaptation française :
Françoise-Mathilde Lantieri

Conception Éditoriale :
Valeria Manferto De Fabianis

Secrétariat d'édition :
Luc-Édouard Gonot

Coordination éditoriale :
Giada Francia

Conception graphique :
Clara Zanotti

Rédaction :
ENRICO LAVAGNO

© 2006 Éditions Gründ pour l'édition française
www.grund.fr
© 2006 White Star S. P. A. pour l'édition originale sous le titre *Cielo*
ISBN 2-7000-1407-3
Dépôt légal : mars 2006
PAO : Sandrine Morgan
Imprimé à Singapour

LE CIEL

Gründ

SOMMAIRE

LE CIEL

1 • Un violent orage
dans le Colorado.

2-3 • Jeux d'éclairs
sur la prairie de l'Alberta
au Canada.

4-5 • Coucher de soleil
en Finlande.

6-7 • Des dirigeables
peuplent le ciel
d'Albuquerque au
Nouveau-Mexique, créant
un panorama irréel.

8-9 • Démonstration
des Flèches tricolores
à Foggia, en Italie.

11 • Cirrus et cumulus
colorés par le coucher
de soleil, en Suède.

13 • Dernières lueurs du
jour sous des nuages
d'orage.

14-15 • Des rayons

INTRODUCTION	22
LE CIEL VU DU CIEL	34
AIRS DE TEMPÊTE	82
CIELS DU MONDE	174
MAÎTRES DE L'AIR	278
SPORTS AÉRIENS	350
FORMES ET NUAGES	470
EFFETS SPÉCIAUX	552
HAUTE VOLTIGE	596
AUX CONFINS DE LA NUIT	666
BIOGRAPHIE, INDEX,	728

CRÉDITS PHOTOGRAPHIQUES

cosmiques colorent
la nuit finlandaise.

16-17 • Début de la saison
des pluies en Australie.

18-19 • Le jour se lève sur

Bosque del Apache, au
Nouveau-Mexique.

20-21 • Une tornade se
prépare sur les prairies
du Colorado.

Introduction

JASMINA TRIFONI

DEPUIS QUE L'HOMME PEUPLE CETTE PLANÈTE, L'HORIZON QUI SÉPARE LA VIE QUOTIDIENNE DES INACCESSIBLES MONDES EXTRATER-RESTRES EST AU CŒUR DE SES ACTIVITÉS. LE CIEL A INSPIRÉ DES GÉNÉ-RATIONS DE POÈTES ET DE PEINTRES, DE PHILOSOPHES ET DE SCIENTIFIQUES. AVEC SON TAPIS D'ÉTOILES, IL A GUIDÉ LES NAVIGATEURS. PAR LA VIOLENCE DE SES OURAGANS ET DE SES TEMPÊTES, PAR L'OBSCU-RITÉ QUE PRODUISENT LES ÉCLIPSES — AUTREFOIS INQUIÉTANTS MESSAGES ÉMANANT DE DIVINITÉS — LE CIEL EST DEPUIS TOUJOURS LE SIÈGE DE MENACES ÉPOUVANTABLES ET DE TERRIBLES DESTRUCTIONS. MAIS IL RYTHME AUSSI LES RÉCOLTES PAR L'IMMUABLE ALTERNANCE DES SAISONS ET, AVEC SES COUCHERS DE SOLEIL INCENDIAIRES ET SES PLUIES D'ÉTOILES FILANTES, IL EST LE THÉÂTRE DE NOS AMOURS ET DE NOS RÊVES.

● Ces passionnés de parapente, aux Pays-Bas, se fient aux mêmes forces que celles qui sont à l'origine des nuages et des rayons solaires qui leur servent de toile de fond.

Introduction

LE CIEL, AVEC SES INEXPUGNABLES MYSTÈRES, A TOUJOURS EXERCÉ SUR L'HOMME UNE ATTRACTION IRRÉSISTIBLE. DEPUIS LE MYTHE D'ICARE, LES PLUS HAUTES SOMMITÉS ONT TENTÉ DE L'ATTEINDRE, DE LE CONQUÉRIR, DE SE L'APPROPRIER. LÉONARD DE VINCI A MÛRI PENDANT DES ANNÉES SON PROJET DE MACHINES VOLANTES ; C'EST VERS LE CIEL QUE SE SONT TOURNÉS LES PHILOSOPHES POUR ÉLABORER LEURS CONCEPTIONS DU COSMOS ; ET C'EST ENCORE LE CIEL QUE GALILÉE REGARDAIT À LA LUNETTE ASTRONOMIQUE LE 9 OCTOBRE 1604, QUAND IL VIT SOUDAIN APPARAÎTRE UNE « ÉTOILE NOUVELLE ». À DATER DE CE JOUR, LE CIEL IMMUABLE DES ANCIENS NE SERAIT PLUS JAMAIS LE MÊME. AU FIL DES SIÈCLES ET AVEC L'INVENTION D'INSTRUMENTS NOUVEAUX, NOUS AVONS DÉCOUVERT QUE LÀ-HAUT, À DES MILLIONS D'ANNÉES-LUMIÈRE DE NOUS, SE PRODUISENT DES ÉVÉNEMENTS D'UNE PRODIGIEUSE VIOLENCE : QUE LES

Introduction

ÉTOILES NAISSENT ET MEURENT, ACHEVANT LEUR CYCLE EN DE MAJES-TUEUSES EXPLOSIONS, LAISSANT DERRIÈRE ELLES DE SPECTACULAIRES NUAGES DE POUSSIÈRES, OÙ SE CÉLÈBRE L'ÉTERNELLE DANSE DE LA MATIÈRE. MAINTENANT QUE NOUS SAVONS VOLER, LE CIEL N'EST PLUS AUSSI SACRÉ ET INVIOLABLE QU'IL NE L'ÉTAIT POUR NOS ANCÊTRES. NOUS LE PARCOURONS LE NEZ RIVÉ AUX HUBLOTS, ÉMERVEILLÉS PAR LE DÉCOR QUE LA NATURE DÉROULE SOUS NOS YEUX. ET, GRÂCE À L'AVENTURE SPA-TIALE, NOUS POUVONS MÊME DÉSORMAIS CONTEMPLER NOTRE PLANÈTE, NIMBÉE DE CET INCOMPARABLE ÉCLAT BLEUTÉ QUI EN FAIT UN SPECTACLE UNIQUE DANS LE SYSTÈME SOLAIRE.

MAIS QU'EST-CE DONC QUE LE CIEL ? OÙ COMMENCE-T-IL ET OÙ FINIT-IL ? EN RÉALITÉ, LE CIEL N'EXISTE PAS. CE QUE NOUS APPELONS CIEL N'EST QUE L'ILLUSION DE CETTE IMPALPABLE FENÊTRE QU'EST L'ATMOSPHÈRE,

Introduction

FRONTIÈRE TÉNUE QUI NOUS SÉPARE DE L'INCONNU, DES ESPACES VERTIGI-
NEUX D'UN UNIVERS TURBULENT ET INEXPLORABLE. ET POURTANT, CETTE
NON-EXISTENCE NE FAIT QU'AJOUTER UNE FASCINATION DE PLUS AUX MILLE
VISAGES DE NOS CIELS.

27 • Des rangées de nuages stratiformes annoncent le coucher
du soleil sur la savane africaine.

28-29 • De jeunes oies prennent leur essor sur le Cambridgeshire, en Angleterre.

30-31 et 32-33 • Acrobatie et haute technologie en altitude :
sky-surfing en France et survol du massif de l'Everest (Népal-Chine)
pour les besoins d'un documentaire.

LE CIEL VU DU CIEL

LUCA MERCALLI

Ces vastes perturbations, audacieusement photographiées, cachent la mer de Java.

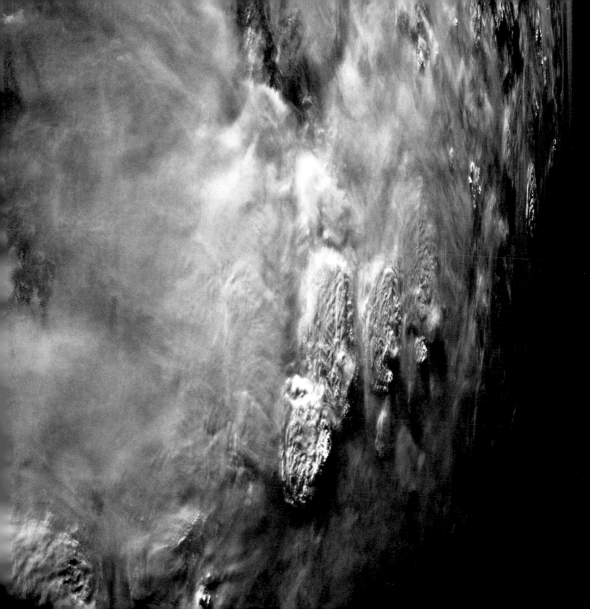

INTRODUCTION Le ciel vu du ciel

Vue de l'espace, la terre est une planète bleue parsemée de « bulles » et de tourbillons blancs : océans et nuages ; les sols sont en effet sombres et peu apparents, sauf les déserts. L'homme a pu observer le ciel depuis l'espace à partir du 1er avril 1960, date à laquelle la NASA envoya en orbite le premier satellite météorologique de l'histoire, Tiros 1. Il s'agissait alors d'images en noir et blanc, estompées et brouillées, qu'il fallut recomposer sur papier sous forme de mosaïque de photographies. Au tout début, la simple caméra de bord n'était pas opérationnelle la nuit, mais l'on introduisit par la suite des instruments capables de filmer dans le noir, par le biais de caméras infrarouges. En 1969, les Russes lancèrent leur premier satellite météorologique : c'était une machine au nom glacé de Meteor 1, qui bénéficiait de toutes les connaissances acquises pendant les années d'expérimentation

INTRODUCTION Le ciel vu du ciel

AU COURS DESQUELLES LE CIEL, D'ABORD RÉVÉLÉ AUX YEUX DE YOURI GAGARINE, LE 12 AVRIL 1961, LORS DU PREMIER VOL HUMAIN DANS L'ESPACE, ÉTAIT APPARU, VU D'EN HAUT, DANS TOUTE SA MERVEILLEUSE ET EXTRAORDINAIRE UNICITÉ. UN CIEL QUE CONTEMPLÈRENT ENCORE MIEUX NEIL ARMSTRONG, EDWIN ALDRIN ET MICHAEL COLLINS LORSQUE, LE 20 JUILLET 1969, ILS MIRENT PIED SUR LE SOL LUNAIRE.

AUJOURD'HUI, CETTE OBSERVATION DEPUIS L'ESPACE EST QUOTIDIENNE. LES CIELS – CAR IL S'AGIT DE PLUSIEURS CIELS – SONT MINUTIEUSEMENT INVEN-TORIÉS, ANALYSÉS, FILTRÉS, PHOTOGRAPHIÉS, FILMÉS. UNE ÉQUIPE DE SATELLITES ET DE STATIONS ORBITALES DIFFUSE, QUASIMENT À JET CONTINU, UN FLOT D'IMAGES QUE TOUT UN CHACUN PEUT CONTEMPLER SUR SON ÉCRAN DE TÉLÉVISION OU D'ORDINATEUR : UN PRIVILÈGE DONT NOUS N'AVONS PAS TOUJOURS CONSCIENCE. VU D'EN HAUT, LE CIEL SE PRÉSENTE COMME UN BOUILLONNEMENT DE SOMMETS ARRONDIS ET DE SPIRALES

TOURNOYANTES ; CE SONT LES CUMULO-NIMBUS DES ORAGES ÉQUATORIAUX ET LES VASTES PERTURBATIONS DES LATITUDES MOYENNES, SILENCIEUSE VITALITÉ GÉNÉRÉE PAR LA CHALEUR SOLAIRE, LES VENTS ET LA CONDENSATION DE LA VAPEUR D'EAU. C'EST SEULEMENT DEPUIS L'ESPACE QUE L'ON SE REND VRAIMENT COMPTE DE LA DÉLICATESSE ET DE LA FRAGILITÉ DE NOTRE ATMOSPHÈRE : PRESQUE TOUTE SA MASSE EST CONCENTRÉE EN QUELQUE VINGT KILOMÈTRES D'ÉPAISSEUR, UNE FINE PELLICULE QUI SÉPARE LA VIE DU RIEN.

● À l'extérieur de *Discovery*, Mark C. Lee et Carl J. Meade testent le Simplified Aid For EVA Rescue (SAFER), dispositif de récupération individuel pour astronautes « perdus » dans l'espace.

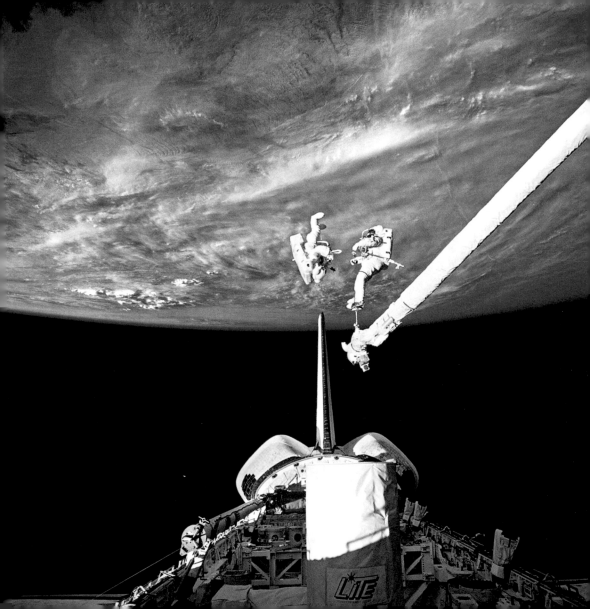

40 • En 1995, la navette *Atlantis* a effectué sept voyages vers la station orbitale russe Mir.

41 • Story Musgrave et Donald Peterson effectuent des travaux
de manutention sur *Challenger*.

42 • La navette *Atlantis* fut appelée ainsi
en souvenir du premier vaisseau de
recherche océanographique américain.

42-43 • Construit pour remplacer
Challenger, *Endeavour* a été lancé
pour la première fois en 1992.

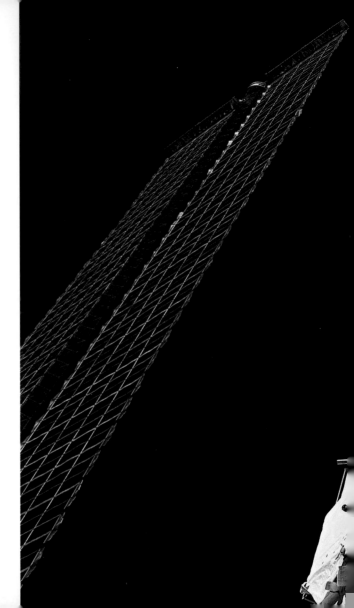

L'astronaute Michael Lopez-Alegria travaille sur l'International Space Station (ISS) durant une session d'activité extravéhiculaire (EVA)

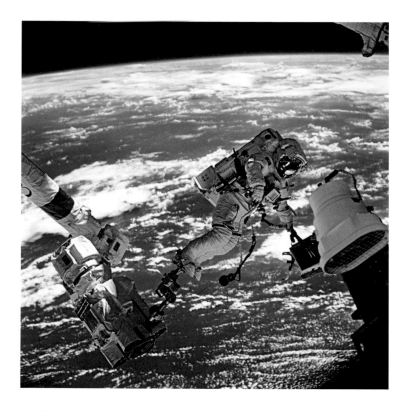

46 • Un astronaute, solidement attaché au Canadarm 2, procède
à l'installation d'appareils d'observation.

47 • Des astronautes de la NASA procèdent à la réparation du télescope spatial Hubble.

48 • La sonde *Magellan* est prête à se décrocher d'*Atlantis* et à se diriger
vers la planète Vénus pour réaliser une cartographie radar.

49 • On aperçoit Valery Polyakov souriant, derrière le hublot de la station spatiale
russe Mir, durant la rencontre avec la navette *Discovery* en février 1995.

● On peut admirer sur ces images la Station Spatiale Internationale (ISS) avec, en second plan, les nuages masquant la surface terrestre.

52 • Une brèche dans les nuages laisse entrevoir l'île de la Guadeloupe, dans l'océan Atlantique.

53 • Ces énormes cumulonimbus au-dessus de l'océan Pacifique ont été pris depuis *Discovery,* dont le stabilisateur vertical est visible en haut de l'image.

54 • Une perturbation cyclonique se développe sur l'océan Atlantique.

55 • L'ouragan Elena s'apprête à dévaster les côtes de la Floride, en septembre 1985.

56 • Une masse de cumulonimbus menaçante plane sur l'Amérique du Sud.

57 • Iniki, l'un des ouragans les plus dévastateurs de l'histoire des États-Unis, est certainement le plus violent de ceux qui ont frappé les îles Hawaii.

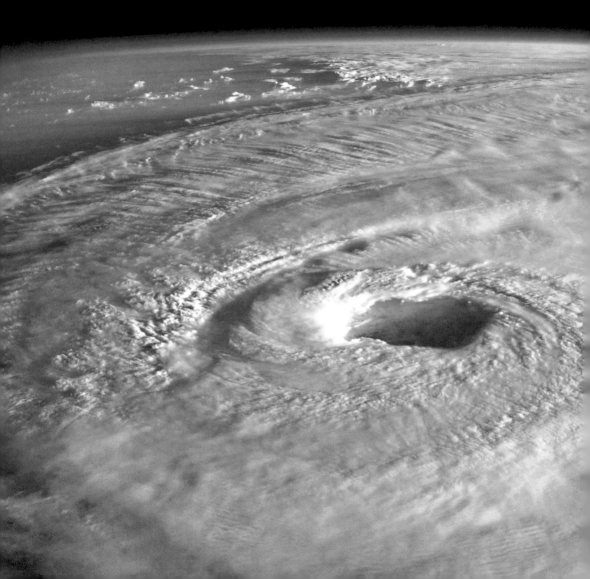

Septembre 2003 : l'ouragan Isabel, qui s'est formé sur l'océan Atlantique à l'ouest des îles du Cap Vert, se déplace vers les Antilles et les Bahamas.

● Sur cette photo de 2003, on distingue avec précision « l'œil du cyclone » Isabel, où la pression est la plus basse et où règne un calme temporaire, avant-coureur de vents très violents.

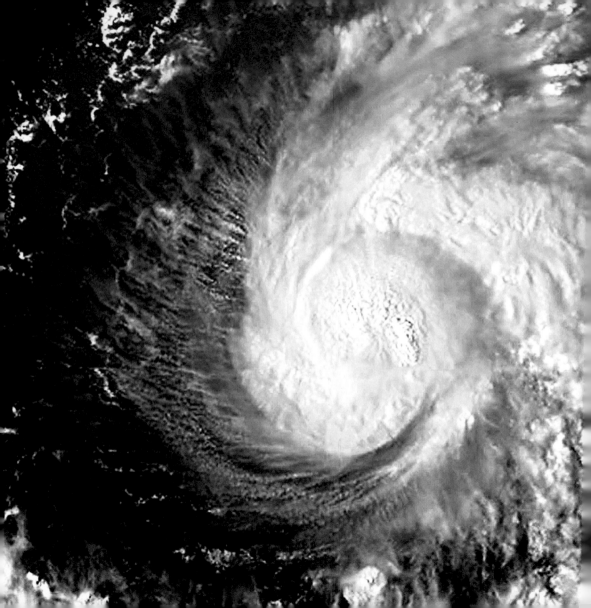

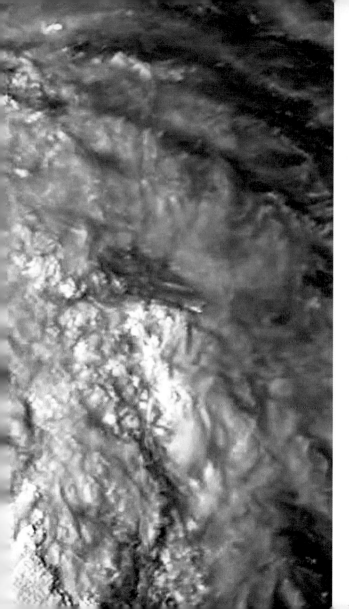

En septembre 1999,
l'ouragan Floyd se
déplace vers les Petites
Antilles, causant des
pluies impétueuses et
des vents violents le
long d'une grande partie
des côtes atlantiques.

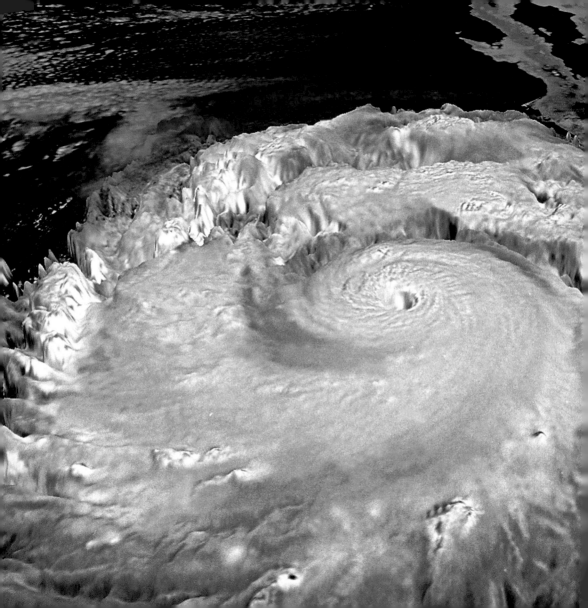

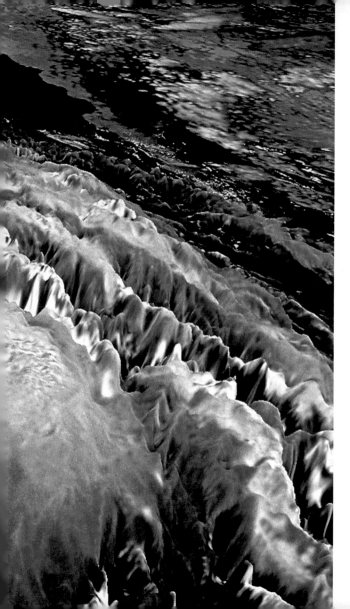

● On voit, en haut de la photo, un ouragan se déchaîner au large de la péninsule de la baie de Californie. Le nom de ces violentes tempêtes semble provenir de Hurican, divinité du mal aux Caraïbes.

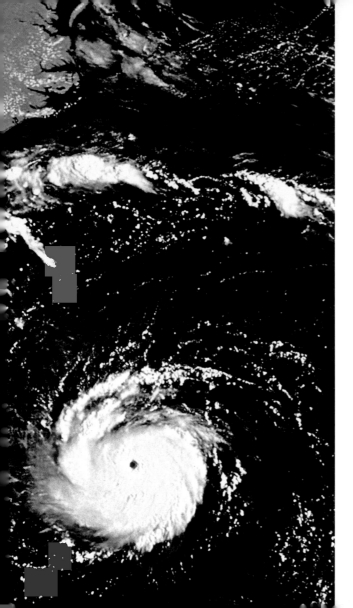

Une séquence de trois clichés montre l'évolution de l'ouragan Andrew qui, en août 1992, frappa violemment les Bahamas, la Floride et le Golfe du Mexique, avant d'aller mourir sur la Louisiane.

En août 1999, le
tentaculaire ouragan
Dennis, né d'une
dépression tropicale
dans le sud-est des
Antilles, se déchaîne
aux abords de l'île
d'Haïti. En bas à droite,
on aperçoit Cuba.

● Deux ouragans dévastateurs s'approchent des côtes orientales du continent américain :
Floyd (à gauche), en septembre 1999, et Isabel (à droite), en septembre 2003.
Les Grandes Antilles et la Floride sont visibles sur les deux clichés.

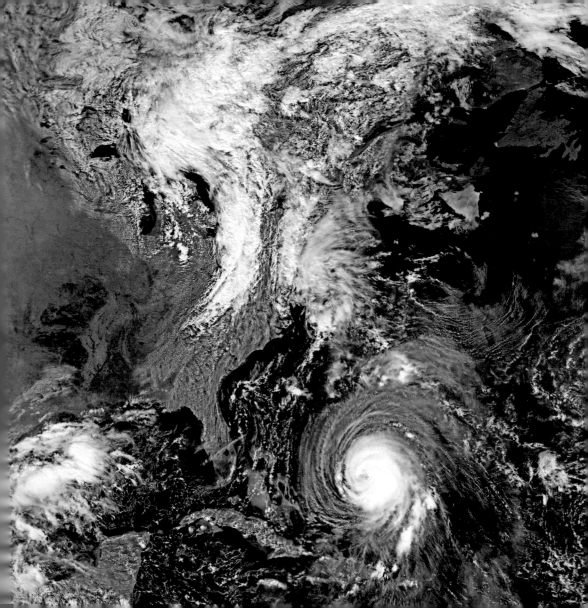

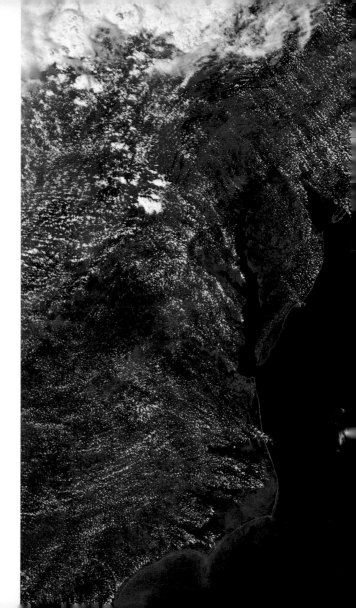

En 2004, l'ouragan Alex se déplace à 29 km/h, de la Caroline du Nord à Boston (Massachusetts), avec des vents tourbillonnants à plus de 150 km/h.

● Vu de l'espace, le globe terrestre semble souvent n'être formé
que d'océans et de nuages, comme ici, au-dessus de l'océan Pacifique.

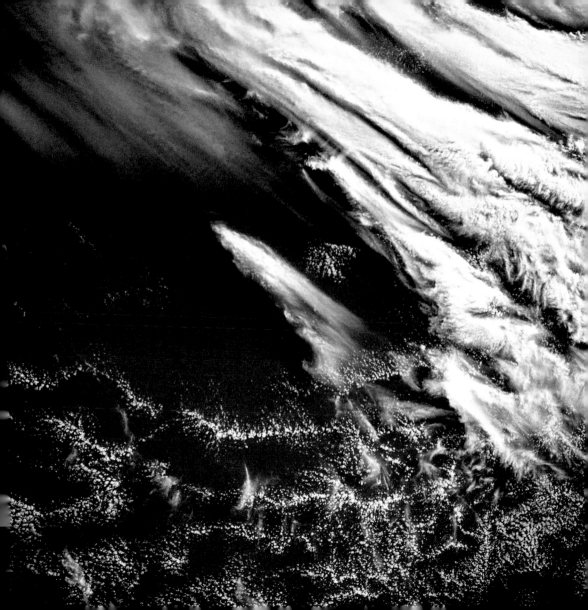

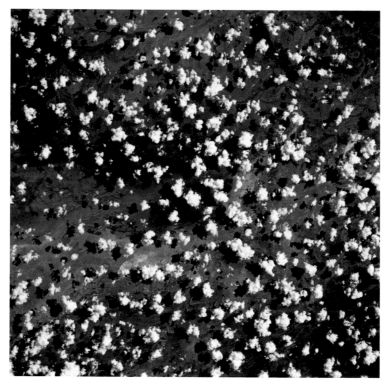

76 • Des nuages épars (*cumulus humilis*, annonciateurs de beau temps) se déplacent lentement au-dessus du fleuve Giuba, principal cours d'eau en Somalie.

77 • De légers nuages paraissent exécuter une danse circulaire au-dessus de la Guadeloupe.

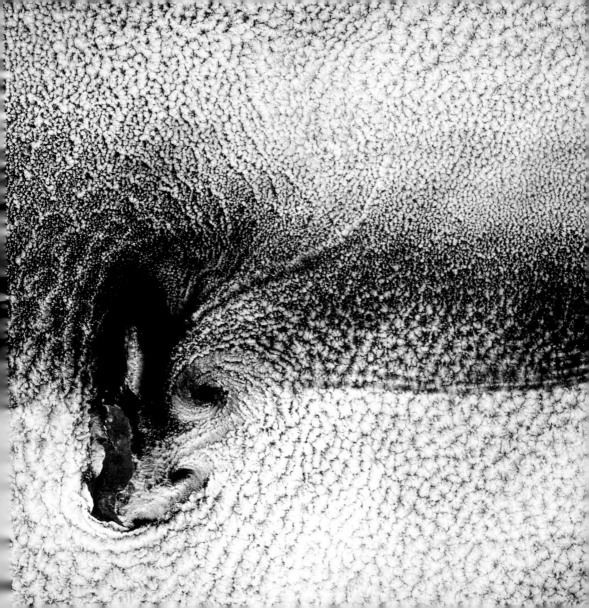

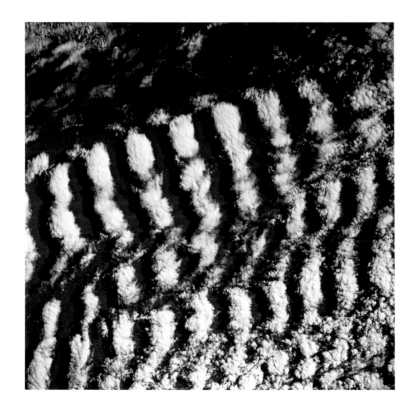

78 ● Bancs de stratocumulus, photographiés depuis *Discovery*, au-dessus du désert australien.

79 ● En Australie, un vent impétueux en altitude crée souvent des corps
de nuages sur les sommets occidentaux.

80 • Des formations nuageuses s'étendent sur plusieurs kilomètres au-dessus de l'océan Pacifique.

81 • Le passage d'un navire sur l'océan Pacifique dessine un sillage de condensation plus épais entre les nuages.

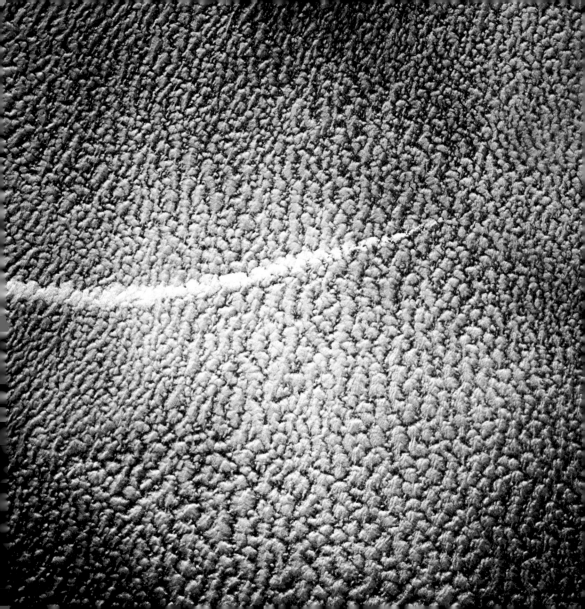

AIRS DE TEMPÊTE

LUCA MERCALLI

82 • Une « supercellule » classée comme le degré le plus dangereux de l'orage, se déchaîne dans l'État du Kansas.

INTRODUCTION Airs de tempête

L'ODYSSÉE D'ULYSSE EST JALONNÉE DE TEMPÊTES OÙ SE DÉCHAÎNENT, SOUS UN CIEL DE PLOMB, LES VENTS IMPÉTUEUX QUI ÉTAIENT CONTENUS DANS L'OUTRE D'ÉOLE.

LA TEMPÊTE A INSPIRÉ ET DONNÉ SON NOM À BIEN DES CHEFS-D'ŒUVRE : SHAKESPEARE EN A FAIT LE TITRE D'UNE COMÉDIE, VIVALDI UN CONCERTO ; LA TEMPÊTE A ÉGALEMENT DROIT DE CITÉ DANS *LES MALAVOGLIA* DE VERGA ET DANS LE *MOBY DYCK* DE MELVILLE.

IL Y A LES « TEMPÊTES PARFAITES », DE VENT, DE NEIGE, DE PLUIE OU DE SABLE, RÉALISÉES EN IMAGES NUMÉRIQUES POUR LE CINÉMA. TEMPÊTES, BOURRASQUES, OURAGANS, CYCLONES : AUTANT DE VOCABLES POUR DÉFINIR L'EFFET QU'A SUR LES CIELS ET SUR LES TERRES, SUR LES MERS ET DANS L'ESPRIT DE L'HOMME, LA VIOLENCE

• Un éclair lacère la nuit de Pueblo, dans le Colorado :
sa lumière équivaut à 100 millions d'ampoules électriques.

INTRODUCTION Airs de tempête

VITESSE DE 511 KM/H. LES TEMPÊTES LES PLUS IMPÉTUEUSES SONT CELLES DES TROPIQUES, LES OURAGANS SÉVISSANT PLUTÔT DANS L'ATLANTIQUE ET LES TYPHONS DANS LE PACIFIQUE.

CES PHÉNOMÈNES CLIMATIQUES PEUVENT DURER DES SEMAINES ET BALAYER DES MILLIERS DE KILOMÈTRES AVEC DES VENTS VIOLENTS ET DES PLUIES TORRENTIELLES, DÉVELOPPANT LA PUISSANCE DE PLUSIEURS EXPLOSIONS ATOMIQUES. ILS PORTENT POURTANT FRÉQUEMMENT DE PETITS NOMS « INOFFENSIFS » : ANDREW, MITCH, GEORGE, IVAN OU KATRINA… MAIS PERSONNE NE PEUT LES AFFRONTER SANS METTRE SA VIE EN DANGER.

89 et 90-91 • Les journées chaudes et humides s'achèvent souvent par des orages impressionnants, quand l'air chaud et humide monte comme une grande « bulle » pour se condenser en un nuage porteur de pluie.

92-93 • Une supercellule, dite aussi « mésocyclone », commence à former le « cône » typique qui précède une tornade.

93 • La beauté d'un arc-en-ciel ne fait que rendre plus terrifiante la formation du nuage à entonnoir qui annonce la tornade.

L'impressionnant nuage en entonnoir est sur le point de s'abattre au sol dans les environs de Mulvane, au Kansas. La tornade qui en résultera sera classée F3 (sur une échelle croissante de cinq degrés), avec des vents de 253 à 330 km/h.

● Une tornade est sur
le point d'accomplir
son œuvre destructrice
près de Big Springs,
au Nebraska.

● Un nuage de
poussière à l'horizon est
tout ce qui reste d'une
maison frappée par une
tornade, dont l'entonnoir
est étroit mais
dévastateur : c'est une
F3, classée « sévère »
sur l'échelle de Fujita.

100 ● L'inévitable coup de maillet d'un nuage à entonnoir en formation
est sur le point de s'abattre près de Boulder, dans le Colorado.

101 ● La terrifiante trompe de la tornade est la plupart du temps éphémère (de 1 à 10 minutes),
mais les phénomènes les plus dévastateurs peuvent parfois durer plus d'une heure.

● Les supercellules les
plus violentes peuvent
générer au moins
quatre tornades en
même temps, comme
ici dans le Nebraska.

« **D**ERRIÈRE LES TEMPÊ-TES ET LA FOUDRE, NOUS NE VOYONS PLUS AUJOURD'HUI DE DIEUX EN COLÈRE ET JALOUX, MAIS UN SENTIMENT DE DÉSARROI SUBSISTE, UNE SORTE DE VIDE QUI NE SE COMBLE QUE LORSQUE LA BOURRASQUE EST PASSÉE. »

104-105 • À l'endroit où se décharge un faisceau d'éclairs comme celui-ci, l'air se réchauffe jusqu'à 30 000 °C.

106-107 • Les éclairs brillent près d'Uluru (Ayers Rock), en Australie, rocher sacré pour les Aborigènes.

Une vaste formation d'altocumulus crée un singulier contraste entre le bleu du ciel et la lumière du coucher de soleil, sur l'horizon de la réserve nationale du Masai Mara, au Kenya.

110-111 • L'averse menace de s'abattre sur Puerto Natales, en Patagonie chilienne.

112-113 • Sur une prairie déserte, des nimbostratus, c'est-à-dire des stratus porteurs de pluie, déversent des tonnes d'eau en quelques secondes.

114-115 • En été (juin, juillet et août en termes météorologiques), les Grandes Plaines nord-américaines sont sujettes à des phénomènes météorologiques violents, comme ici, sur les champs de maïs de l'Illinois.

116-117 • Les éclairs, à
l'intérieur des nuages
d'orage, agissent comme
les filaments d'une lampe,
créant des spectacles parmi
les plus impressionnants
qu'offre la nature.

118-119 • Poussé vers le
haut par la montée rapide
de l'air chaud, un énorme
cumulonimbus se forme
près de Liberal, dans le
Kansas.

120-121 • Un nimbostratus chargé de pluie, pouvant atteindre 3 000 à 5 000 mètres d'épaisseur, cache complètement le soleil, plongeant le territoire dans l'obscurité.

122-123 • Une mer de nuages est, au loin, à l'origine de précipitations, sur l'autoroute 27, dans le Dakota du Sud.

124-125 • Une tempête, phénomène relativement fréquent de mars à juin au Kenya, se prépare sur la savane.

126-127 • Un orage estival investit des champs cultivés, aux environs de Ritzville, dans l'État de Washington.

128 • Une averse isolée se déverse sur les plaines du Midwest américain.

129 • La tempête menace les grandes plaines Llano Estacado, entre le Texas et le Nouveau-Mexique.

130-131 et 132-133 • Manifestations atmosphériques en formation dans le Dakota du Sud et dans le Colorado.

134 et 134-135 ● Une gigantesque tornade et une dangereuse supercellule en rotation se déchaînent dans le centre des États-Unis.

136-137 ● La saison des pluies s'annonce sur le Territoire du Nord australien.

138-139 et 140-141 ● Les zones urbaines, probablement en raison des températures plus élevées, semblent propices aux orages.

142-143 ● Un mésocyclone s'abat sur le Kansas. C'est dans ces supercellules que naissent les tornades, 800 en moyenne chaque année aux États-Unis.

144-145 ● Un rideau d'éclairs illumine la campagne du Hampshire, en Grande-Bretagne.

146-147 ● Outre les décharges nuages-terre (ici dans le Dakota du Sud), on distingue des éclairs intra-nuages (interne aux nuages), nuages-nuages et nuages-ciel.

148-149 *et* 149 ● Les supercellules comme celles-ci, photographiées dans le Kansas, génèrent des vents de force destructrice et projettent des grêlons dangereusement gros.

150-151 ● Une supercellule, alimentée par un très violent courant ascensionnel, dit *updraft,* s'abat sur le Nebraska.

152-153 ● Le calme de Custer State Park... dans le Dakota du Sud.

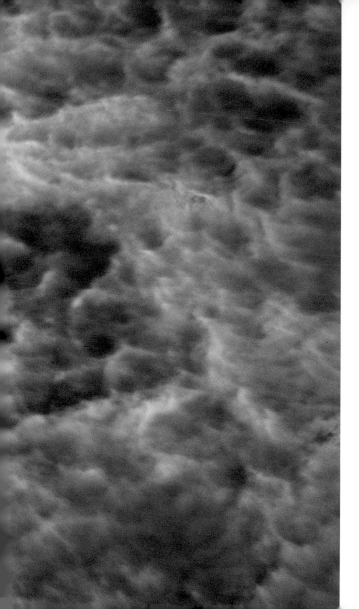

154-155 • À Angkor Vat, au Cambodge, la mousson estivale est cause de ciels bouillonnants de nuages.

156-157 • Une supercellule, future « mère » de diverses tornades, sature l'atmosphère d'un après-midi chaud dans le Nebraska.

158-159 • Le spectacle terrifiant offert par ce type particulier d'orages dans le comté d'El Paso, dans le Colorado, a duré plus de deux heures.

160-161 • La lumière du coucher de soleil enflamme un nuage d'orage, créant un décor digne de l'enfer.

162 ● Sous un chaos de nuages, l'air se fait lourd et instable dans le ciel du Colorado.

162-163 ● Une tempête transite au large de Bornéo, se préparant à charrier d'énormes masses d'eau durant sa phase « mature ».

164-165 ● La trace d'un éclair se devine dans la colonne de pluie créée par un orage sur le Colorado.

166-167 • Après avoir fait rage sur la baie de Californie, au Mexique, la tempête qui s'est formée dans le sud du pays s'avance vers l'océan Pacifique.

168-169 et 170-171 • Cernés par l'air qui demeure étrangement immobile, les restes d'un nuage porteur de tornades déploient des formes impressionnantes sur le Colorado.

172-173 • Des rayons rassurants éclairent la campagne du Colorado. Cet État, soumis à 40 tornades par an en moyenne, n'est qu'à la neuvième place dans la liste des zones les plus frappées des États-Unis.

CIELS DU MONDE

JASMINA TRIFONI

- À la tombée de la nuit, la tour Eiffel et le dôme des Invalides rivalisent avec la luminosité du ciel de Paris.

INTRODUCTION Ciels du monde

Quel est le ciel le plus célèbre, le plus immortalisé par les photos souvenir des touristes du monde entier ? Est-ce celui, scintillant de myriades de lumières, qui domine l'incomparable forêt de tours de New York ? Ou le ciel turquoise qui, dans les belles soirées de mai, sert d'écrin à l'austère silhouette de la basilique Saint-Pierre à Rome ? Ou encore le ciel bleu pâle à damiers qui se fait jour, à Paris, à travers les mailles d'acier de la tour Eiffel ? Et quel est le plus beau ? Celui qui plane sur les interminables hauts plateaux africains, si bas qu'il semble presque se coucher sur le jaune intense des savanes ? Celui d'un bleu profond qui se détache sur le rouge vif des fragiles et monumentales arches de grès du National Park dans l'Utah, ou sur les majestueux Ayers Rock, en Australie ? À moins que ce ne soit le ciel

INTRODUCTION Ciels du monde

CRÉPUSCULAIRE EMBRASÉ D'UN ATOLL TROPICAL…

OÙ QUE NOUS ALLIONS, LE CIEL NOUS SUIT PARTOUT. C'EST DANS LE CIEL QUE NOUS TÂCHONS DE LIRE LE TEMPS QU'IL FERA, C'EST LUI QUI INFLUENCE NOTRE HUMEUR, QUI NOUS BOULEVERSE PAR LA MAGIE D'UN COUCHER DE SOLEIL MASQUÉ DERRIÈRE UN RIDEAU DE NUAGES NOIRS, LUI QUI NOUS SURPREND PAR L'APPARITION IMPROMPTUE D'UN ARC-EN-CIEL, LUI QUI FAIT QUE L'ON S'ÉTIOLE DANS LA GRISAILLE MONOTONE DES JOURNÉES DE PLUIE, LUI QUI NOUS ÉPOUVANTE PAR LA PUISSANCE INDOMPTABLE DE SES OURAGANS, DE SES TYPHONS, DE SES TORNADES.

LE CIEL EST LE THÉÂTRE DU MONDE, LA TOILE DE FOND DE CHAQUE INSTANT DE NOTRE VIE, MAIS IL EST AUTRE CHOSE ENCORE… IL EST L'UN DES PROTAGONISTES DE NOS AVENTURES QUOTIDIENNES, UN PROTAGONISTE SILENCIEUX, SI FAMILIER QUE NOUS TENDONS À OUBLIER

INTRODUCTION Ciels du monde

QU'IL NOUS ACCOMPAGNE PARTOUT. CHACUN DE NOUS GARDE EN SECRET, AU FOND DE SA MÉMOIRE, LE SOUVENIR DE SES CIELS LES PLUS INTIMES. CE SONT LES CIELS QUI ONT VU NAÎTRE ET MOURIR NOS HISTOIRES D'AMOUR, QUI NOUS ONT VUS ÊTRE HEUREUX ET SOUFFRIR, RIRE ET PLEURER, QUI SONT IMPRIMÉS SUR NOS PHOTOS DE VACANCES INOUBLIABLES. OU PEUT-ÊTRE CE SONT DES CIELS QUI, TOUT SIMPLE-MENT, NOUS ONT FAIT RÊVER.

179 ● Le grès rouge de Monument Valley, dans l'Utah, se détache sur le ciel gris de l'aube.

180-181 ● Des altocumulus glissent sur le port de Troms, en Norvège.

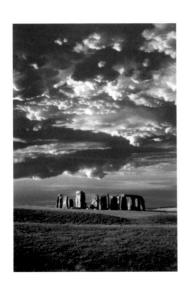

● Ancêtre de tous les observatoires astronomiques, le fameux site mégalithique de Stonehenge fascine depuis des siècles savants et visiteurs.

Le Callanish Stone Circle, sur les côtes occidentales de l'île de Lewis, en Écosse, date de 2000 avant J.-C.

● Les coupoles dorées
du Kremlin ravivent le
ciel couvert de Moscou.

188 • La pureté des ciels nordiques, pour rare qu'elle soit, offre une impression de grandeur inégalable, comme ici, au château d'Olavinlinna (XVᵉ siècle), construit pour la protection du royaume de Suède-Finlande.

189 • La lumière intense met en relief l'architecture de l'alcazar de Ségovie, en Espagne.

190-191 • Le ciel partiellement couvert exalte la pureté de la pierre claire du château de Chambord, qui se mire dans les eaux du Cosson, dans la vallée de la Loire.

● Avec des
protagonistes tels que
la Seine, l'île de la Cité
et la cathédrale Notre-
Dame, les couchers de
soleil les plus célèbres
du monde sont sans
nul doute ceux de Paris.

Le crépuscule teinte d'une douce lumière la ville de Francfort, fleuron de l'Allemagne moderne.

196-197 et 197 ● De magnifiques feux d'artifice illuminent le Musée national sur la place Venceslas de Prague, (à gauche) et le Tower Bridge de Londres (à droite), l'un des ponts les plus célèbres du monde.

198-199 ● L'aurore inonde de lumière le massif du mont Blanc, entre la France, l'Italie et la Suisse.

200-201 ● Une mer de nuages de type stratus cache le fond de la vallée du Trentin-Haut-Adige.

Après une averse d'été, le ciel s'éclaircit à nouveau sur la basilique de Santa Maria della Salute, à Venise.

● Un majestueux spectacle pyrotechnique nocturne
a lieu chaque année à Venise, durant la fête du Rédempteur.

206-207 ● Au petit matin, une fine brume laisse poindre l'antique
bourgade de Santo Stefano di Magra, dans la province de La Spezia.

208-209 ● Un ciel de bourrasques exalte l'âpreté de l'île toscane
de Capraia, au large de Grosseto.

La lumière dense de fin d'après-midi ajoute à la majesté du Duomo de Santa Maria dell'Assunta, à Sienne.

212 • L'étonnante tour de Pise se mesure à une formation de cirrocumulus.

213 • Le globe qui couronne le Duomo est le protagoniste par excellence du ciel de Florence.

214-215 ● Une couche de nimbostratus annonce de la pluie sur le forum romain.

216-217 ● Bas sur l'horizon des célèbres toits romains, le soleil fait le pendant à la coupole de la basilique Saint-Pierre.

218-219 ● Surprenante et intense comme une apparition dans la lumière du matin, l'antique cité de Piazza Armerina se découpe sur un ciel d'orage.

220-221 ● Le ciel du soir nimbe de quiétude la très active Athènes et l'Acropole, au premier plan.

222-223 ● Les sombres silhouettes en miroir de la mosquée Bleue et de la basilique Sainte-Sophie contrastent avec les teintes chaudes de ce coucher de soleil à Istanbul.

224-225 • Observé du sommet d'un palais du xxᵉ siècle, un violent orage s'approche de Mysore, en Inde.

226-227 • Pont magnifique entre terre et ciel, un arc-en-ciel semble provenir directement du Potala, à Lhassa au Tibet, palais des dalaï-lamas du xviiᵉ au xxᵉ siècle.

228-229 • Une perturbation s'amasse sur le monastère de Samye, au Tibet. Au premier plan, un chorten, reliquaire bouddhiste tibétain.

230-231 • La lumière de l'après-midi investit le massif de l'Annapurna, au Népal.

232-233 • Sous un ciel lourd d'humidité, le Yarlung Tsangpo, au Tibet, coule vers l'Inde.

234-235 • Les flèches de sanctuaires bouddhistes se détachent sur le soleil dans la vallée de Pagan, au Myanmar (ex-Birmanie).

236-237 ● Après une averse estivale, brève mais intense, le soleil recommence à briller sur le Chao Phraya, à Bangkok.

238-239 ● La forêt cambodgienne assiège un ancien bassin hydrique artificiel, dans l'immense complexe de temples de Angkor Vat.

240-241 ● Des nuages de mousson sont sur le point d'obscurcir le visage sculpté d'un monarque khmer à Angkor Thom.

242-243 ● Des nuages floconneux viennent de gratifier d'une pluie bénéfique le centre de Shanghai, en Chine.

244-245 • Devant
le mont Fuji qui se
détache sur un ciel
embrasé, un
Shinkansen traverse la
campagne nippone.

246-247 • Depuis son
érection, à la fin du
XIXᵉ siècle, la statue de
la Liberté, à New York,
a été bien protégée
contre les éclairs qui la
frappent inévitablement.

248-249 • L'antique et
raffinée Boston, dans le
Massachusetts,
s'illumine aux lueurs
du crépuscule.

250-251 • Des éclairs s'abattent sur la ville de Washington, faisant ressortir la blancheur de la coupole du capitole.

252-253 • L'aube point et réveille les activités dans le port de plaisance de Miami, en Floride.

254-255 • Le Space Needle, haut de 184 mètres, pointe droit dans le ciel de Seattle, embrasé par le coucher de soleil.

256-257 • Le brouillard matinal recouvre le pont du Golden Gate de San Francisco.

258-259 • Spectaculaire atterrissage à l'aéroport international de Los Angeles.

260-261 • Un orage à l'heure du coucher de soleil exalte les coloris suggestifs du Grand Canyon National Park.

262-263 • Comme suspendues entre ciel et terre, les formations rocheuses de la majestueuse Monument Valley se dressent autour de la réserve indienne Navajo entre l'Utah et l'Arizona.

● Une lame de lumière rasante met en relief le splendide site de Uxmal, l'un des centres les plus importants du Yucatan entre le VIIe et le Xe siècle avant J.-C.

Une fine formation de cumulus de beau temps, ou cumulus humilis, transite au-dessus du site de Ayers Rock, lieu sacré dénommé Uluru par les Aborigènes. C'est le second monolithe au monde par ses dimensions après le Burringurrah, toujours en Australie.

268-269 • Le ciel, grâce aux phénomènes atmosphériques, est l'auteur de bien des merveilles du monde, comme les Devils Marbles, gigantesques masses de granit australiennes qui sont pour les Aborigènes les œufs d'un mythique serpent (à gauche), et les dunes fossiles aux abords du lac Mungo, en Australie (à droite).

270-271 • L'humidité en se condensant sur le bassin de l'Australie-Méridionale crée une fine et vaste couche de nuages, ici au-dessus du London Bridge, dans les eaux de l'État de Victoria.

272-273 • Le ciel, bien que couvert, est rarement porteur de pluie sur les monts Olgas, en Australie.

274-275 • À l'aube, une étendue de nuages se mesure à l'océan, le long de la côte de l'État de Victoria.

● Les brumes matinales enveloppent les pentes du Kilimandjaro, entre le Kenya et la Tanzanie.

MAÎTRES DE L'AIR

ARIEL BRUNNER

- Les mouettes sont présentes sous presque toutes les latitudes, sur les régions côtières où elles peuvent nidifier.

INTRODUCTION Maîtres de l'air

Le vol des oiseaux a toujours fasciné les hommes. Pour nous qui sommes inexorablement liés à la terre c'est en effet un vivant défi à la force de gravité. Qui peut résister à l'image d'un oiseau sillonnant le ciel ? Le rêve de voler fait partie de l'imaginaire de tout enfant et c'est aussi l'une des ambitions récurrentes de l'humanité. Aujourd'hui encore, où voler est devenu familier pour la plupart d'entre nous, notre émerveillement devant les téméraires acrobaties d'un martinet ou le majestueux vol plané d'un aigle, reste inchangé. La gent ailée a toujours été pour l'homme un symbole. Noé envoya d'abord un corbeau, puis une colombe, à la recherche de la terre sauvée du déluge. La colombe qui revint alors avec dans son bec un rameau d'olivier est devenue le symbole éternel de la paix, tandis que l'aigle est indiscutablement celui du pouvoir.

INTRODUCTION Maîtres de l'air

Mais le vol des oiseaux est beaucoup plus qu'un simple défi à la pesanteur : le vol est voyage. La sterne, hirondelle de mer qui accomplit chaque année le tour de la Terre entre Arctique et Antarctique, et l'albatros, capable de passer des années à hanter les mers du Sud, sont des représentants vivants de la force de la Nature ; de même, les petits passériformes migrateurs de nos jardins, bien que pesant à peine quelques grammes, traversent chaque année la Méditerranée et le Sahara. L'arrivée et le départ des oiseaux migrateurs rythment les saisons. Les oiseaux se transforment ainsi en messagers du temps, comme les hirondelles ou les cigognes qui annoncent le printemps aux Européens. Non seulement les oiseaux nous séduisent par l'élégance de leur vol, mais ils nous charment par leurs couleurs et leurs

INTRODUCTION Maîtres de l'air

CHANTS ; C'EST DANS CETTE CATÉGORIE ANIMALE QUE L'ÉVOLUTION A PRODUIT LES MUSIQUES LES PLUS ÉLABORÉES ET CERTAINES DES PLUS BELLES IMAGES DE NOTRE PLANÈTE. LES TRILLES D'UN ROSSIGNOL OU D'UN LORIOT, L'EXPLOSION DE COULEURS QU'OFFRE AU REGARD UN FLAMANT PHÉNICOPTÈRE OU UN OISEAU DE PARADIS ILLUSTRENT L'ART QUE PRODUIT LA NATURE, DONT L'HOMME NE PEUT NI NE VEUT S'AFFRANCHIR.

● Avec les Andes en arrière-plan, un condor se fond
sur les nuages de haute altitude.

284 • Écartant ses pattes palmées, comme s'il s'agissait du train d'atterrissage
d'un avion, un fou s'apprête à se poser.

285 • Les sternes sont d'habiles volatiles, capables de dominer les vents les plus impétueux.

286-287 • En prévision de la tempête, des nuées de mouettes se jettent sur le poisson affleurant.

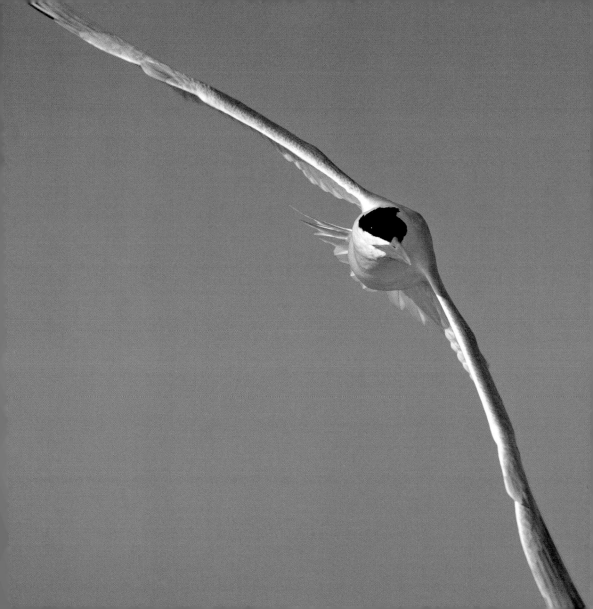

288 • Les élégantes sternes volent à haute altitude.

289 • Les mouettes rieuses sont reconnaissables au masque noir qui entoure leur bec.

290-291 • Dans l'air limpide des îles grecques, un vol de mouettes bénéficie
des chauds courants ascensionnels.

292 • L'élégante sterne est un petit volatile comparé aux autres espèces marines : ses ailes très blanches, en effet, ne dépassent pas 70 centimètres d'envergure.

293 • Les ciels de la Méditerranée sont le paradis des mouettes qui, comme les aigles, se laissent porter par le vent.

294 ● Le tantale américain, qui appartient à la famille des ciconiidés,
vit dans les Everglades en Floride.

295 ● Une cigogne européenne prépare son nid, en utilisant des brindilles
qu'elle dispose à des hauteurs vertigineuses.

296 • Dans presque toutes les traditions antiques, les cigognes
sont censées porter chance.

297 • Le héron cendré nidifie près des cours d'eau, tressant
étroitement de petits rameaux sur les arbres les plus hauts.

● Les cygnes arctiques
partagent avec les oies,
dont ils sont les proches
parents, l'aptitude aux
grandes migrations.

● Avec leurs silhouettes élancées, des grues survolent
avec élégance le Bosque del Apache, au Nouveau-Mexique.

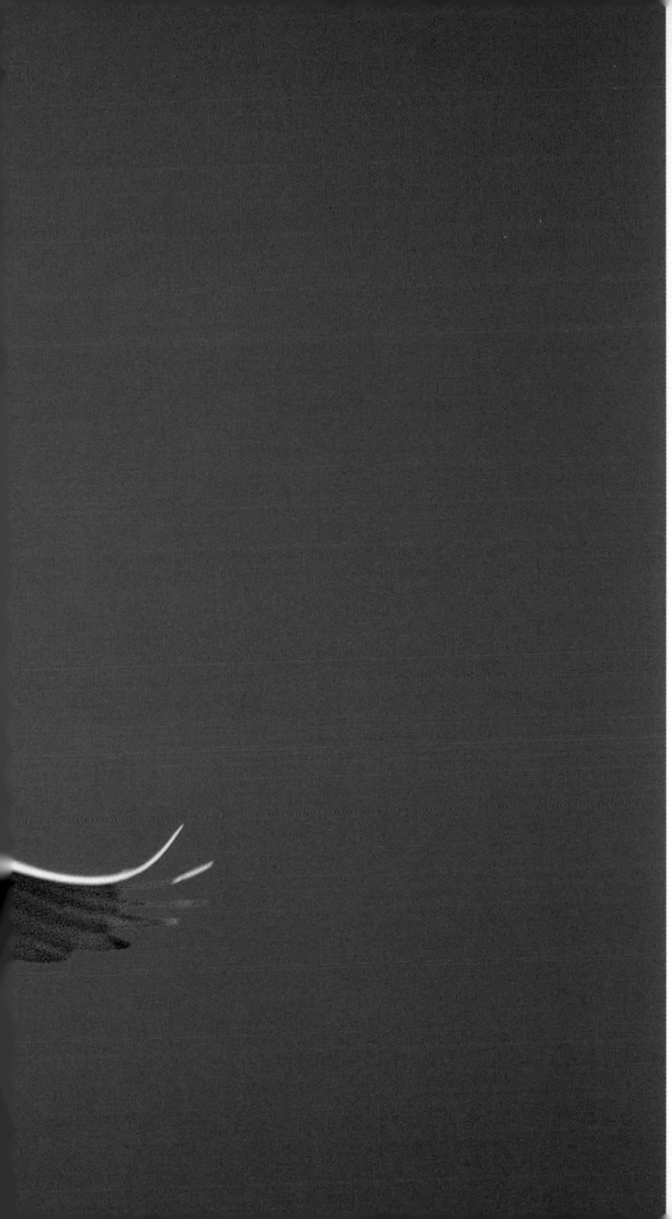

L'incomparable profil
de l'aigrette neigeuse
se découpe sur le bleu
du ciel mexicain.

304 ● Le grand héron blanc vit dans les plaines cultivées de l'Europe
et de l'Amérique du Nord.

305 ● Dans une sorte de ballet aérien, quelques mouettes se disputent une petite proie.

306-307 ● Dans la lumière du soleil couchant tropical, un groupe
de phénicoptères roses vole à basse altitude.

308-309 • Des centaines d'étourneaux prennent leur envol au crépuscule, animant un ciel d'automne.

310-311 • Le passage silencieux des étourneaux ravive pour quelques instants un ciel d'automne : en cette saison calme, les flux migrateurs offrent des spectacles surprenants.

312 et 313 • En formation en « v », ou en solitaire, les oies des neiges (à gauche) migrent vers la chaleur du Sud. À droite, une oie du Gange.

314-315 • Apparemment inadaptées au vol, les oies sont en réalité résistantes et capables d'affronter de longs trajets sans escale.

● L'oie des neiges vit habituellement en Amérique du Nord,
en Sibérie, au Groenland et dans certaines régions du Japon.

318 • Les grues canadiennes sont reines à Bosque del Apache,
au Nouveau-Mexique. Cette réserve a été fondée en 1939 pour protéger
ces oiseaux migrateurs et d'autres oiseaux aquatiques menacés.

319 • Dotée d'une exceptionnelle envergure, la spatule rose est parente
de la cigogne européenne, mais vit en Amérique du Sud et aux Caraïbes.

320 • Oiseau d'une grande puissance de vol, la sterne est une pêcheuse éprouvée.

321 • Les grandes ailes d'un héron blanc se détachent sur le ciel serein
de la plaine du Pô, en Italie.

322 • L'extraordinaire phaéton à queue rouge plane dans le ciel chaud des îles Midway.

323 • Un héron prend son vol, ouvrant lentement ses ailes majestueuses.

324-325 • De rapides battements d'ailes caractérisent le vol des chevaliers
semipalmés, capables d'atteindre la vitesse respectable de 65 km/h.

Les ailes puissantes
du pélican brun,
qui vit sur les côtes
atlantiques et pacifiques,
peuvent atteindre deux
mètres et demi
d'envergure.

328 et 329 • Des pélicans blancs, au long bec jaune et au brillant plumage bicolore, glissent dans l'air tiède de la Méditerranée.

330-331 • Un vol de pélicans plane avec élégance. Les pélicans, qui sont des nageurs aguerris, ont aussi, malgré leur poids, une grande aptitude au vol.

❝ LE VOL DES PÉLICANS – GAUCHE ET DISGRACIEUX – EST PLUS PROCHE DE L'HOMME QUE LE VOL HARMONIEUX DES HÉRONS, LE FRÉNÉTIQUE BATTEMENT D'AILES DES HIRONDELLES OU MÊME LE MOUVEMENT PLANANT DES MOUETTES, QUI LÀ-HAUT, DANS LE CIEL, SEMBLENT AUSSI ÉVIDENTS QUE LE SOUFFLE DU VENT OU LE PASSAGE DES NUAGES. POUR NOUS, LA CONQUÊTE DU CIEL EST UN DÉFI À LA NATURE, LABORIEUX ET ENCORE HASARDEUX. ❞

● Le pygargue à tête blanche dépense énormément d'énergie durant la chasse ; c'est pourquoi, il passe beaucoup de temps à se reposer : le photographier en vol est, pour cette raison, assez difficile.

● Le pygargue à tête
blanche, avec son
envergure de plus de
deux mètres et demi, est
le majestueux symbole
des États-Unis
d'Amérique.

À une vitesse folle, après un piqué de cent mètres, le pygargue à tête blanche se jette sur sa proie, habituellement un rongeur ou un petit mammifère.

338 • Redoutable prédateur de la côte européenne, l'aigle de mer
se nourrit de préférence d'oiseaux.

339 • Avec moins d'un mètre d'envergure, le milan royal est
un formidable sprinter, capable de piqués vertigineux.

340 • Le condor de Californie est reconnaissable à la couleur rouge vif de sa tête, qui contraste avec ses grandes ailes noires.

341 • La splendide grue couronnée a une façon de voler caractéristique, avec son cou tendu qui la distingue des autres volatiles de son espèce.

Le vautour sud-africain, disgracieux sur terre a, de par son envergure importante, un vol majestueux.

344 • Les albatros, maîtres des côtes, ont un vol puissant et agile.

345 • Un vol de mouettes sud-africaines traverse le ciel de Dyer Island.

346-347 • Un albatros du Pacifique suit en planant le trajet d'une embarcation.

348-349 • Les yeux mi-clos pour résister au vent des îles Malouines, une femelle albatros surveille sa couvée.

SPORTS AÉRIENS

Un moteur à deux temps assure une totale autonomie de décollage et un bon contrôle au deltaplane, l'objet volant le plus semblable aux oiseaux par sa légèreté.

INTRODUCTION Sports aériens

LE VENT SOUFFLE SUR LE PRÉ, LA VOILE DU PARAPENTE SE GONFLE ET AVEC ELLE MON ENTHOUSIASME. VOLER EST TOUJOURS UNE EXPÉRIENCE EXTRAORDINAIRE, COMME LA PREMIÈRE FOIS DANS L'APENNIN MÉRIDIONAL. QUAND L'ÉLINGUE EST SERRÉE AUSSI FORT QUE LES SENSATIONS QU'ELLE PROCURE, IL FAUT PRENDRE AU BON MOMENT LE VENT AMI ET SE LAISSER PORTER DANS LE VIDE, DANS LE CIEL, DANS LE TERRIFIANT RIEN SOUS LES PIEDS OÙ SE GOUVERNENT LES ÉQUILIBRES DU VOL. ALORS, TOUT SE TAIT. TRANSPORTÉ PAR LE VENT QUI ALTERNATIVEMENT SIFFLE ET SUSURRE, IVRE DE PARFUMS VOLÉS À LA TERRE ET OFFERTS AU CIEL, ON EST À L'ÉCOUTE ; ON S'EFFORCE DE SAISIR LES FLUCTUATIONS DE L'AIR ET L'ON JOUE À MONTER TOUJOURS PLUS HAUT. REDESCENDU SUR LA TERRE FERME, ON REGARDE LE CIEL POUR REMERCIER CE THÉÂTRE DU ÉNIÈME « VOL

INTRODUCTION Sports aériens

HUMAIN ». DES LÉGENDAIRES VOLS DE DÉDALE ET ICARE À HERMÈS, LE DIEU AILÉ DE LA MYTHOLOGIE GRECQUE, DES DÉCOLLAGES RÉUSSIS DE L'INGÉNIEUR ALLEMAND OTTO LILIENTHAL À CEUX DES FRÈRES WRIGHT, EN PASSANT PAR LES ESSAIS DE MACHINES VOLANTES DE LÉONARD DE VINCI, S'AFFRANCHIR DE LA PESANTEUR A TOUJOURS ÉTÉ UN DÉSIR ATAVIQUE DE L'HOMME. DEPUIS LES TEMPS LES PLUS RECULÉS, IL NE SE LASSE PAS DE CONTEMPLER L'ÉLÉGANT VOL DES OISEAUX ET S'INGÉNIE À EN PERCER LES SECRETS AFIN DE LES APPLI-QUER À SON PROPRE CORPS. VU D'EN HAUT, LA TERRE EST EN EFFET PLUS SÉDUISANTE, DU CIEL LES POINTS DE VUE SONT PLUS SURPRE-NANTS. QUE CE SOIT EN PARAPENTE, EN DELTAPLANE, EN PARACHUTE, EN MONTGOLFIÈRE, EN PLANEUR OU EN ULM, FLOTTER DANS LE VIDE DONNE UN PEU LA SENSATION D'ÊTRE JONATHAN LIVINGSTONE LE

INTRODUCTION Sports aériens

GOÉLAND. C'EST SI BEAU D'ÊTRE BERCÉ PAR LES VENTS, SOULEVÉ PAR L'ÉNERGIE THERMIQUE, POUSSÉ PAR LES LOIS DE LA PHYSIQUE, CERNÉ PAR LES PAYSAGES LES PLUS VARIÉS DANS UN KALÉIDOSCOPE DE COULEURS ! VU DU VIDE, LE CIEL EST LE RÈGNE DE L'IMAGINAIRE, DU RÊVE, DE LA LIBERTÉ ; ET CE N'EST PAS UN HASARD SI TANT DE LÉGENDES ET DE FABLES MERVEILLEUSES ONT ÉTÉ SITUÉES DANS LE BEL AZUR, AVEC SON CORTÈGE DE NUAGES BLANCS.

• Flotter dans le bleu intense du ciel est un des rêves récurrents de l'homme.

Planneur

356-357 • Le vol à voile (ici, planneurs en action) a été, au milieu du XIXe siècle, la première forme de vol humain « plus lourd que l'air » couronné de succès.

● La version « perfectionnée » du planneur est le planneur motorisé, doté d'un léger moteur à hélice de 125 chevaux, ici photographié en vol au-dessus des Alpes suisses.

360 ● Les acrobaties aériennes séduisent aussi les pilotes
de planneurs, qui peuvent en utiliser de plus en plus fiables.

361 ● Voler dans le silence, bien au chaud dans sa cabine,
fait du vol en planneur une expérience unique.

Montgolfière

362-363 et 364-365 • Des visages « d'aliens » sympathiques, des noms de sponsors, des dessins en zigzags et des bandes multicolores investissent le ciel d'Albuquerque, au Nouveau-Mexique, au cours d'un célèbre rassemblement de passionnés d'aéronautique.

● Préparation au vol dans le désert du Namib : le ballon, une fois gonflé, mesurera à peu près 25 mètres de hauteur sur 20 de large.

Les traversées en montgolfière sont ponctuées de haltes
pour réalimenter le brûleur en gaz léger.

En général, le volume d'air chaud nécessaire pour faire voler un ballon aérostatique est d'environ 2 500 mètres cube.

Le nylon et le polyester sont les matériaux communément utilisés pour fabriquer les enveloppes des montgolfières de série à bulbe et les modèles plus fantaisistes.

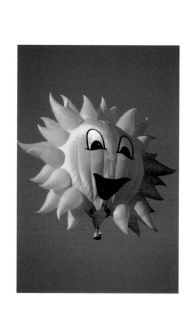

● La simplicité du concept
d'un aérostat, la fiabilité du matériel et les
technologies actuelles sont telles qu'elles
permettent de donner pratiquement
n'importe quelle forme aux montgolfières.

Une citrouille d'Halloween et un clown flottent dans le ciel durant la fête internationale du ballon d'Albuquerque, au Nouveau-Mexique.

- Des personnages comme M. Peanut ou Mickey deviennent souvent de grandes figures volantes qui attirent vers le ciel le regard des enfants de tous âges.

La publicité sur montgolfière, comme ici, donne au spectacle une touche de « magie », sans doute naïve, mais à coup sûr payante.

De l'imagination à la réalité : la durée de l'enveloppe
d'un dirigeable est de 250 à 300 heures de vol.

Parachutisme

● De classiques parachutes à coupole et à fentes sont utilisés
par des parachutistes, comme on le voit sur ces photos
déjà anciennes, prises respectivement en 1969 et 1977.

● Les parachutes modernes « à aile » sont semblables aux matelas gonflables,
et ont des formes rectangulaires ou elliptiques selon les prestations requises.

388 ● Grâce aux câbles de commande et aux dispositifs de stabilisation, les parachutes modernes sont contrôlables comme des petits planeurs.

389 ● Le « parachute pilote », visible en haut à droite du cliché, assure une ouverture rapide et douce du parachute principal.

390 ● Le sport de vol en parachute comporte souvent de sympathiques chorégraphies.

391 ● Comme dans les lancements en chute libre, dans la lente descente
à l'aide de la voile les parachutistes se livrent à des acrobaties aériennes.

● La grande facilité de manœuvre des parachutes permet
une coordination et un parfait contrôle de leurs utilisateurs
qui exécutent des figures d'une incroyable précision.

Parachutisme acrobatique

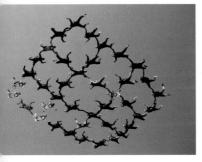

394-397 ● Le parachutisme acrobatique exige de nombreux vols d'entraînement.

● En chute libre, des parachutistes se rapprochent au moment de l'ouverture, qui doit advenir à une altitude et à une vitesse précises. Les systèmes de sécurité comprennent souvent des altimètres qui commandent l'ouverture à une hauteur donnée si le parachutiste est dans l'impossibilité de le faire.

En général, les parachutages sportifs se font à une altitude de 4 500 à 5 000 mètres.

Pour les profanes, la chose la plus surprenante est le naturel avec lequel les parachutistes les plus experts pratiquent la chute libre.

● Les formations de vol relatif varient en nombre : en général quatre, huit ou seize, mais le record est de 300.

406 • Au cours de cette séquence, un groupe compose les cinq anneaux olympiques.

407 • Pour effectuer des sauts en formation, la capacité de travailler en équipe et la concentration individuelle ne sont pas moins importantes que la technique.

Sky-surfing

La pratique du sky-surfing, véritable discipline athlétique, permet d'évoluer librement dans les trois dimensions et même dans une quatrième : la vitesse relative.

Entre le bleu du ciel et la tonalité cobalt de l'océan Pacifique,
des acrobates de l'air s'amusent à défier les vents.

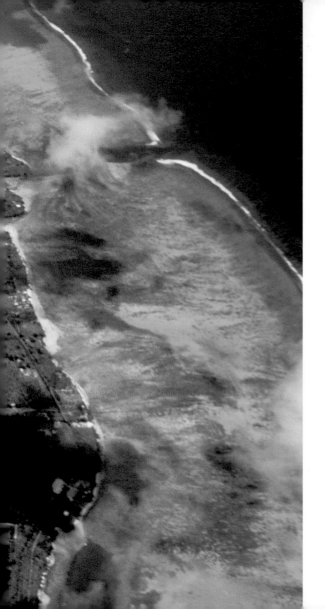

Des sky-surfers accomplissent des acrobaties au-dessus des eaux cristallines de Tahiti.

● Un sky-surfer en action entre le ciel et le quadrillage ordonné d'une plaine. Cette spécialité est née en France en 1987.

LES SPORTS AÉRIENS, DU PLUS TRADITIONNEL PARA-
CHUTISME AU STUPÉFIANT SKY-SURFING, SONT UNE INVEN-
TION MODERNE, MAIS NATURELLEMENT LE RÊVE DE PLANER
EST TRÈS ANCIEN. LE PREMIER SAUT EN PARACHUTE QUI NE
SE SOIT PAS SOLDÉ PAR UNE TRAGÉDIE REMONTE AU
IXE SIÈCLE ET FUT ACCOMPLI PAR UN ANDALOU À CORDOBA.

● Les acrobaties sans doute les plus extravagantes sont celles qui
consistent, dans le sky-surfing, en de singuliers duos « en miroir ».

● Patrick de Gayardon et ses vols audacieux ont signé
un tournant dans la pratique des sports aériens.

C'est le vent relatif, c'est-à-dire le flux de l'air rencontré par le sky-surfer qui soutient l'athlète et lui permet d'évoluer librement.

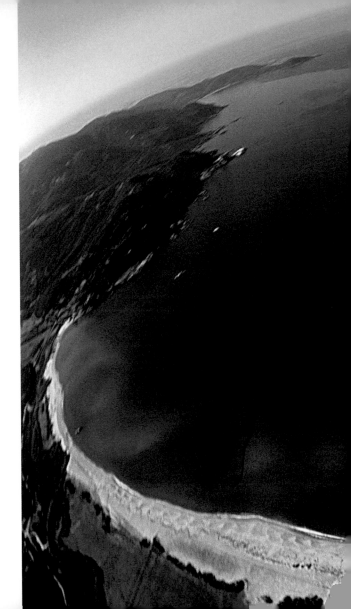

● Au moment d'atterrir,
le sky-surfer ouvre son
parachute et agit sur les
câbles pour contrôler la
descente et l'orienter
avec précision.

Sky-diving

● Une minute ou à peine plus est le temps moyen d'un saut de sky-diving, généralement effectué depuis un avion de tourisme à 4 000 mètres d'altitude.

En chute libre (*freefall*), des sky-divers « plongent » à 200 km/h.

● Pour effectuer le sky-diving on utilise des combinaisons adaptées, différentes selon les spécialités. Celles qui sont photographiées ici, permettent de pratiquer la spécialité de vent relatif. Elles sont adhérentes et dotées de boosters, des bas de pantalon larges qui réduisent l'attache jambe-pieds et offrent une bonne résistance à l'air.

Les chutes libres en parachutisme requièrent des casques
de protection en raison des vitesses atteintes.

Ultraléger pendulaire

- La dénomination d' « ultraléger pendulaire » donne une idée de la caractéristique de ces vols à voile : le contrôle de l'assiette et de la trajectoire est, en effet, effectué par le pilote qui déplace son propre poids sous l'aile de l'appareil.

La situation à bord d'un ultraléger pendulaire peut sembler précaire, mais ces appareils sont en réalité sûrs et faciles à piloter.

Parapente

- Évaluer la direction et la vitesse du vent est la condition première à un décollage en parapente.

Pour éviter les collisions
en vol, le parapente
comporte des règles
précises de priorité.

Le déroulement des vols en parapente varie en fonction des parcours qui, parfois, couvrent de grandes distances.

● La forme la plus
naturelle de parachutisme
est le parapente, adapté
par sa nature aux zones
montagnardes.

● La vitesse du vent
est déterminante pour
choisir le moment
opportun pour le saut.
Un vent supérieur
à 20-25 km/h est
déconseillé.

445

● Après une ascension laborieuse, l'heure est venue de se préparer au saut, face aux Alpes suisses.

Jauger ses propres conditions psychologiques avant le saut n'est pas moins important qu'évaluer les conditions climatiques.

● Le parapente peut se pratiquer en solitaire, mais aussi en tandem (à droite),
un choix optimal pour qui commence à pratiquer ce sport.

● Le nylon anti-
déchirure, revêtu de
polyuréthane pour
éliminer la porosité, est
le constituant principal
de la voile qui pèse
environ sept kilos.

Un système de cordages en « toile d'araignée » relie le pilote élingué à la voile, et lui permet d'en modifier le profil pour effectuer les manœuvres

Deltaplane

● Le deltaplane, grandement amélioré ces dernières années, a un précurseur direct dans les planeurs de Otto Lilienthal, qui effectua des vols planés à la fin du XIXe siècle.

458-459 ● Suspendu au centre de l'appareil, le pilote commande le deltaplane en déplaçant son propre poids et en agissant sur le « trapèze ».

460-461 ● Des câbles qui permettent de voler contre le vent raidissent la structure du deltaplane.

La Californie est un des lieux au monde où se pratiquent le plus les sports de plein air. Le deltaplane attire un grand nombre de voladores.

Plus haut que l'Everest : Angelo d'Arrigo

En 2003, le célèbre champion de deltaplane, Angelo d'Arrigo, repoussa encore les limites en survolant l'Everest (à droite).

466-467 ● Une fois franchi le sommet de l'Everest, la Vallée du Silence et le glacier du Khumbu surgissent devant Angelo d'Arrigo.

468-469 ● Beaucoup plus naturellement que l'aéroplane, le vol libre concrétise le vieux rêve humain de voler sans autre soutien que ses propres ailes.

FORMES
ET
NUAGES

MAURIZIO BATTELLO

· Un altocumulus lenticulaire annonce une tempête
sur le mont Cook, dans les Alpes néo-zélandaises.

INTRODUCTION Formes et nuages

De tout temps, poésies et chansons, œuvres picturales et littéraires et, plus récemment, campagnes publicitaires et congrès politiques ont utilisé les nuages comme thématique de l'infini et de l'éternel. Les nuages – qui ne sont rien d'autre que de la vapeur d'eau combinée à la pression atmosphérique, aux charges et aux courants électriques – fascinent en effet par leur présence quotidienne changeante et silencieuse. Qui d'entre nous, enfant – ou même adulte – ne s'est laissé aller, allongé dans l'herbe, à envier la liberté et la rapidité des nuées gonflées de vent, ou à rêvasser sur la forme souvent évocatrice que prennent leurs contours ? Les plus passionnés se sont même essayés à prévoir le temps et à vérifier le malicieux

● Un énorme cumulonimbus se forme au-dessus du comté de Las Animas, dans le Colorado.

INTRODUCTION Formes et nuages

PROVERBE « CIEL POMMELÉ, FEMME FARDÉE NE SONT PAS DE LONGUE DURÉE ». À LA PASSION ET À L'ADMIRATION A SUCCÉDÉ LA RECHERCHE DE LA TYPOLOGIE DES NUAGES, DE LEURS CARACTÉRISTIQUES ET DE LEUR STRUCTURE, VOIRE DE LEUR PERSONNALITÉ ET DE LEUR CARACTÈRE. QU'ILS AIENT POUR NOM CIRRUS, ALTOSTRATUS, CUMULONIMBUS, ALTOCUMULUS – AUTANT D'AMAS DE CONDENSATION QUI NOUS SONT FAMILIERS – OU QU'ILS SE PRÉSENTENT SOUS LA FORME PLUS RARE DU CUMULUS MAMMA OU DU SOLITAIRE CUMULUS HUMILIS, LES NUAGES SONT ÉTROITEMENT LIÉS AU TERRITOIRE ET PARTICIPENT DU PAYSAGE. IL N'EST QUE DE VOIR LA MUTABILITÉ DES NUAGES ÉCOSSAIS CHARGÉS DE PLUIES ATLANTIQUES OU LE LIEN ÉVIDENT ENTRE LES NUAGES IRLANDAIS ET LE VERT CARACTÉRISTIQUE DU PAYSAGE ; LES NUAGES BAS QU'ON CROIRAIT TOUCHER DU DOIGT SUR LES ÎLES CANARIES OU LA VOLCANIQUE ISLANDE ; LES NUAGES DES PARCS NATIONAUX AMÉRICAINS PLEINS DE

INTRODUCTION Formes et nuages

L'ESPRIT LIBRE DES VASTES ESPACES DES PAMPAS DE PATAGONIE ; LES ÉTONNANTS CUMULUS EN FORME DE TOURS AU-DESSUS DES ANTILLES ; LES NUAGES ANNONCIATEURS DES TORNADES DU YUCATAN OU DES VIOLENTS ORAGES QUI SE DÉCHAÎNENT PRÈS DES GRANDIOSES CHUTES D'IGUAÇU OU EN AMAZONIE ; LES NUAGES DU TIBET CHARGÉS DE SPIRITUALITÉ QUI SEMBLENT REFLÉTER LA RELIGION LOCALE ; LES NUAGES AUX COULEURS CHAUDES DE L'EUROPE DU NORD OU CEUX DES MAGNI-FIQUES AURORES BORÉALES. TOUS, PEU OU PROU, NOUS OFFRENT DES FORMES, DES LUMIÈRES, DES COULEURS ET DES EFFETS OPTIQUES, TELS LES ARC-EN-CIEL, LES RÉFRACTIONS ET LES EFFETS PHOTOÉLECTRIQUES. PARCE QU'ILS NOUS QUESTIONNENT SUR LE RAPPORT ENTRE L'HUMAIN ET LA NATURE, ENTRE LA PEUR DE LA MORT ET LE MYSTÈRE DU DIVIN, LES NUAGES MÉRITENT UNE PROFONDE ATTENTION ET UN RESPECT FRATER-NEL. UNE SORTE DE COMPLICITÉ S'INSTAURE ALORS ENTRE EUX ET NOUS :

INTRODUCTION Formes et nuages

ILS NOUS INVITENT À RÉFLÉCHIR SUR LA FRAGILITÉ DE LA NATURE HUMAINE ; ILS NOUS FONT PRENDRE CONSCIENCE DE NOTRE RAPPORT AU MONDE ET DES ÉLÉMENTS QUI COMPOSENT LA TERRE ; ILS NOUS DONNENT ENVIE DE PARTAGER AVEC LES AUTRES ÊTRES VIVANTS UN STYLE DE VIE LÉGER ET DOUX, À L'INSTAR DE LEUR APPARENCE.

• Un altocumulus s'apprête à crever en averse, visible comme
une colonne diaphane à la base du nuage, sur la vaste plaine saline
de l'Etosha Pan, en Namibie, Afrique.

● Souvent définis « en forme de poissons » les nuages lenticulaires, ici photographiés au-dessus du sud de la Géorgie, dans l'Atlantique méridional, sont parmi les spectacles les plus beaux que le ciel peut offrir, même s'ils annoncent souvent du mauvais temps.

480 • Une lumière rosée éclaire l'intérieur d'un cumulonimbus en transit sur le Colorado.

481 • Au-delà de 6 000 mètres, en regardant vers la terre, le ciel ressemble à une mer de nuages, formée par les sommets de cumulonimbus, d'altostratus et d'altocumulus.

482-483 • Les « tours » d'un gigantesque cumulus s'élèvent au-dessus de la plaine orientale du Colorado.

Altocumulus et cirrocumulus, nuages du familier « ciel moutonneux »
sont assez semblables mais se forment à des hauteurs différentes : les premiers
entre 3 000 et 6 000 mètres, les seconds entre 6 000 et 11 000 mètres.

486 ● Comme des flocons de coton immergés dans l'eau, les cirrocumulus
flottent et s'effilochent à haute altitude.

487 ● Plusieurs cirrus survolent à haute altitude l'océan Atlantique à l'ouest du Portugal.
La photo a été prise depuis la navette *Challenger*.

488-489 ● Au coucher du soleil et à l'aube, ce sont en général les altocumulus
qui offrent les spectacles les plus beaux.

490 • Des cirrus, à diverses hauteurs, créent un singulier enchevêtrement.

491 • Une étrange spirale de cirrus est formée par les courants en haute altitude.

492-493 • Au-dessus de 6 000 mètres, le ciel est souvent serein,
avec de rares cirrus qui blanchissent l'azur.

494-495 • Des cumulus
en forme de tours et
porteurs de pluie se
déplacent rapidement
sur la savane kényane.

496-497 • Gonflée
d'humidité et d'électricité,
une masse d'air instable
progresse au-dessus
du Colorado oriental.

● Le caractéristique sommet « en chou-fleur » des cumulonimbus atteint jusqu'à 10 à 15 kilomètres de hauteur depuis la base du nuage.

Tandis que la tempête fait rage, un cumulus commence à se dissoudre en haut de la masse nuageuse.

• Des courants d'air
à grande vitesse
« défroissent » un
cumulonimbus, porteur
de précipitations
parfois persistantes.

Semblables à
d'immenses ailes,
des nuages stratiformes
de basse altitude
s'avancent en cortège
sur la plaine.

De forts vents
créent, au sommet
de l'Etna, la forme
suggestive d'un
altocumulus lenticulaire,
nuage caractéristique
des reliefs élevés.

508, 509 et 510-511 ● La différence d'altitude des nuages est révélée
par la lumière du coucher de soleil qui teinte de rouge et d'orange
les nuages les plus bas, laissant les plus hauts en pleine lumière.

512 • Des éléments nuageux de type *mammatus*, en marge d'un cumulonimbus,
se forment au-dessus de Boulder, dans le Colorado.

513 • Des différences dans la vitesse du vent à diverses altitudes ont créé un surprenant
nuage en forme de parachute, sur le comté de Pueblo, dans le Colorado.

514 ● De forts vents forment un cumulus d'aspect particulier, porteur de tempête.

515 ● Des courants d'air capricieux divisent de façon curieuse le sommet d'un nuage.

516-517 ● Des altocumulus convergent vers le coucher de soleil
au-dessus d'Agathe Beach, dans l'Oregon.

518-519 ● Au-dessus des forêts australiennes, ces cumulonimbus
sont annonciateurs de gros orages.

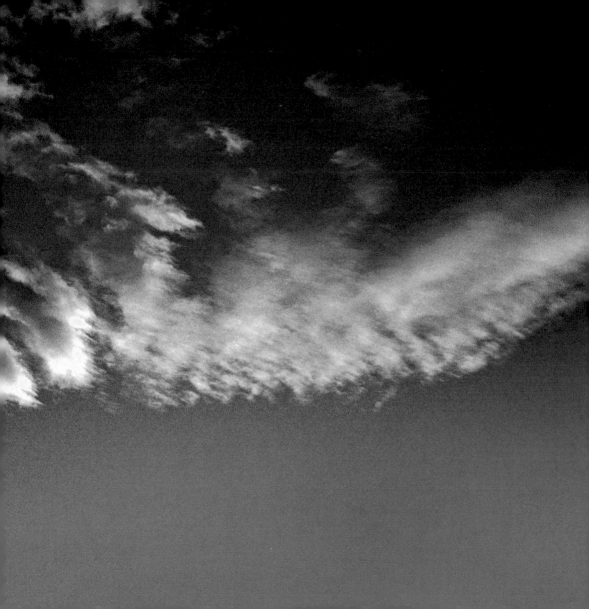

520 • Une magnifique variété de nuages – de ces cumulus d'orages isolés de basse altitude aux vastes extensions élevées d'altocumulus – dominent la baie de Simpson, dans les Antilles néerlandaises.

521 • Ces cirrocumulus en cortèges réguliers paraissent se refléter dans l'étendue des champs de céréales du comté de Hill, dans le Montana.

522 ● Après avoir atteint les limites de la troposphère, à 12 000-13 000 mètres,
un cumulonimbus qui domine le Costa Rica, commence à s'aplatir au sommet,
prenant sa forme classique d'enclume.

523 ● En raison de leur forme régulière et arrondie, certains nuages lenticulaires
comme celui-ci, sur la Huerfano County du Colorado, ont souvent été
photographiés et diffusés par satellite.

524-525 ● Ridé comme la surface de la mer qu'il domine, un vaste banc de nuages survole l'île de Skye, en Écosse.

526-527 ● D'extraordinaires effets lumineux peuvent se produire quand le soleil, bas sur l'horizon et voilé par des cumulus et des stratus, projette ses rayons sur les nuages les plus hauts, comme ici, au large de Belize.

● Des altocumulus lenticulaires rougis par le soleil recouvrent de petits cumulus sur les crêtes du parc national de Los Glaciares, en Argentine.

530 ● Un cumulonimbus embrasé par le soleil s'élève aux abords de Bothell, dans l'État de Washington. Étant donné l'épaisseur de ce nuage, le ciel paraît obscur.

531 ● Un gros cumulus se défait au-dessus du Colorado, tandis que l'humidité qu'il contient se libère sous forme de précipitations, visibles comme un voile à la base du nuage.

532-533 ● Des conditions atmosphériques particulières peuvent donner naissance à des nuages aux formes bizarres et répétitives comme celles-ci.

534-535 • Un majestueux nuage d'orage recouvre le comté de Pueblo, dans le Colorado.

536-537 • Des altocumulus lenticulaires superposés se sont formés sur le col de Tioga, dans la Sierra Nevada californienne. L'épaisseur de ces nuages est comprise entre 500 et 1 500 mètres.

538-539 • Des nuages ondulés dus au flux du vent se forment parfois près des pentes des montagnes, comme ici dans le Colorado. Ils sont d'une surprenante beauté, mais très dangereux pour les avions.

540-541 ● Des franges de nuages de haute altitude (cirrus et cirrostratus), dispersées par le vent à des hauteurs différentes et dans diverses directions, colorent le ciel du Michigan, au-dessus du lac Supérieur.

542-543 ● Après s'être libérés des précipitations qu'ils contenaient, des altocumulus floconneux s'illuminent dans la lumière du coucher de soleil.

544-545 ● L'arrivée de la saison des pluies s'annonce de façon spectaculaire dans le ciel de Darwin, dans le Territoire du Nord, en Australie.

● Le vent à 3 000-4 000 mètres d'altitude, donne graduellement forme à un vaste front d'altocumulus lenticulaires sur l'île du Sud, en Nouvelle-Zélande.

548-549 ● Aux abords de Topeka, dans le Kansas, une étendue spectaculaire de cumulonimbus du type *mammatus* (doté de mamelles, en latin) suit le sillage de forts orages.

550-551 ● De tempétueux nuages *mammatus* créent, à l'heure du coucher de soleil, un spectacle extraordinaire au-dessus d'Avondale, dans le Colorado.

EFFETS
SPÉCIAUX

JASMINA TRIFONI

• Dans l'Antarctique, l'aurore australe ou « lumière du Sud » prend les contours
imprécis et spectaculaires des longues bouffées lumineuses qui s'élèvent de la glace.

INTRODUCTION Effets spéciaux

Réfugiés dans des grottes, à la lueur de pâles feux, nos ancêtres étaient surpris par la tombée de la nuit qui portait en elle la menace de l'arrivée de prédateurs. Sans doute l'un d'entre eux était-il de garde à l'entrée de la caverne, veillant sur le sommeil de ses compagnons… Sans doute, aussi, est-ce à partir de ce moment que l'homme a commencé à contempler le ciel nocturne, à suivre le lent déroulement des phases lunaires, à se demander la raison de ce scintillement des étoiles qui domine le monde. Avec son imagination, l'homme a commencé, il y a des milliers d'années, à regrouper les étoiles en figures géométriques, à installer dans le ciel des divinités, des héros et des animaux mythologiques, et à interpréter les événements célestes comme autant de signes prémonitoires… Au-delà du familier spectacle de la Voie lactée qui traverse

INTRODUCTION Effets spéciaux

LA VOÛTE ÉTOILÉE JUSQU'À L'HORIZON, LE CIEL NOCTURNE OFFRE, EN EFFET, UN INCROYABLE CATALOGUE DE PHÉNOMÈNES VISIBLES À L'ŒIL NU ET TOUT À FAIT INEXPLICABLES POUR LES ANCIENS OBSERVATEURS : DES PLUIES DE MÉTÉORITES QUE NOUS APPELONS « ÉTOILES FILANTES » AUX COMÈTES, DES AURORES BORÉALES AUX ÉCLIPSES DE LUNE JUSQU'AUX VIOLENTES EXPLOSIONS DES SUPERNOVAE, RÉPERTORIÉES POUR LA PREMIÈRE FOIS APRÈS LE DÉBUT DE L'ÈRE CHRÉTIENNE ET CON-SIDÉRÉES DURANT DES SIÈCLES COMME L'ACTE DE NAISSANCE D'UNE NOUVELLE ÉTOILE.

EN MÊME TEMPS QUE PROGRESSAIT LA RECHERCHE SCIENTIFIQUE, L'AVÈNEMENT DES INSTRUMENTS ASTRONOMIQUES ET LEUR PERFECTION-NEMENT – AUJOURD'HUI ATTESTÉ PAR LES MAJESTUEUSES PHOTOGRA-PHIES PRISES PAR LE TÉLESCOPE SPATIAL HUBBLE – NOUS ONT PERMIS DE PERCER LES SECRETS DU CIEL, DE SUIVRE LA DANSE COLORÉE DES

INTRODUCTION Effets spéciaux

NÉBULEUSES, LÀ OÙ LES ANCIENS NE VOYAIENT QUE DES POINTS LUMINEUX, D'EXPLORER LES PROFONDEURS DU COSMOS JUSQU'À SES ULTIMES CONFINS.

LE CIEL DE NOS NUITS N'EST DÉSORMAIS PLUS LE MÊME – SURTOUT POUR LES HABITANTS DES GRANDES VILLES QUI, EN RAISON DE L'INVASION DES LUMIÈRES ARTIFICIELLES NE PEUVENT PLUS CONTEMPLER LES ÉTOILES. C'EST UN CIEL QUE NOUS AVONS APPRIS À CONNAÎTRE SANS LE CRAINDRE ET QUE NOUS UTILISONS COMME TOILE DE FOND POUR Y PROJETER NOS SPECTACLES DE LUMIÈRES ARTIFICIELLES ET DE LASERS. LE CIEL N'EST PLUS, POUR LE CITADIN MODERNE, LE COMPAGNON DE SES NUITS. PEUT-ÊTRE EST-CE POUR CELA QUE, DE LOIN EN LOIN, NOUS AVONS TANT DE PLAISIR À ADMIRER LES ÉTOILES.

• Bien que parmi les « effets spéciaux » qu'offre le ciel, celui de la pleine lune (ici agrandie au téléobjectif) soit le plus commun, on l'observe chaque fois avec émerveillement.

● Aurore de type « flamboyant »,
c'est-à-dire en mouvement
sinueux au-dessus du Canada.

● Extraordinaire
spectacle dans le District
des Lacs, en Finlande :
l'aurore boréale mêle
ses couleurs à l'orangé
du coucher de soleil
arctique.

Telle une tempête de couleurs, l'aurore boréale semble être
un effet pyrotechnique du ciel.

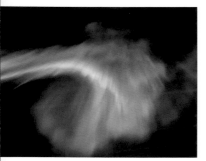

564 ● Fille du vent solaire, l'aurore
polaire peut prendre les couleurs
et les formes les plus variées.

564-565 ● Dans les ciels de
Norvège, les aurores sont plus
intenses – comme sur cette
photographie – lorsqu'interviennent
des tempêtes magnétiques
causées par les taches solaires.

566 • La lumière semble ici se poser sur la forêt canadienne, comme les doigts d'une main blanchâtre.

567 • Une gigantesque spirale bleutée se matérialise sur une forêt canadienne.

568-569 • Les gouttes d'eau prises au piège des cumulonimbus, révèlent les couleurs de l'arc-en-ciel sur les monts Cassiar, dans le Yukon.

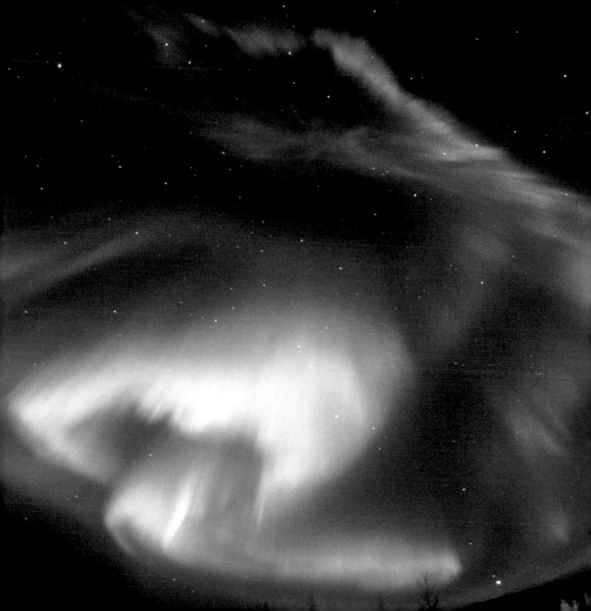

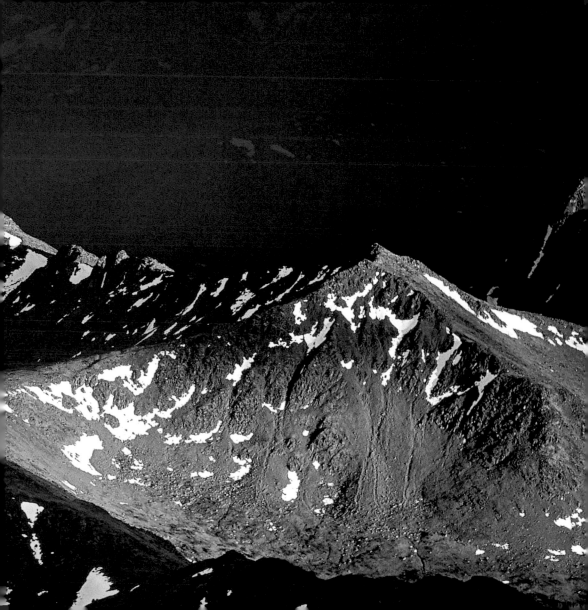

La pluie fine d'un orage de printemps réfracte les derniers rayons du soleil, faisant naître un spectaculaire arc-en-ciel dans la steppe russe.

● Les jeux de lumière et de couleurs dans la baie du Fjordland, dans l'île du Sud (Nouvelle-Zélande), où la pluie et l'écume marine se sont télescopées dans un rayon de soleil, produisent un splendide arc-en-ciel.

574-575 et 575 • D'inhabituels arcs-en-ciel se sont formés sur l'Atlantique (à gauche) et dans un cirrus à haute altitude (à droite).

576-577 et 578-579 • Un énorme arc-en-ciel et un singulier « arc bas » brillent respectivement sur les États-Unis continentaux et sur l'île de Maui, à Hawaii.

580-581 • L'arc-en-ciel est un phénomène commun, mais il est visible seulement si la hauteur du soleil sur l'horizon est inférieure à 42°.

582-583 • Le spectacle offert par Canyonlands, dans l'Utah, trouve dans l'arc-en-ciel son aboutissement le plus impressionnant.

584-585 • Un arc-en-ciel primaire, clair et complet, se reflète dans un autre, secondaire, sur Jackson Hole, dans le Wyoming.

586-587 • Des nuages lenticulaires, colorés par le coucher de soleil, poursuivent le disque lunaire dans le ciel méditerranéen.

588-589 • Nuit de pleine lune : la lumière du satellite est assez intense pour pénétrer les cumulus.

590-591 • La luminosité de la lune, réfractée à la fois par des particules de glace à haute altitude et par les nuages les plus bas, se répand sur le mont McKinley, en Alaska.

592 • Divinité lointaine, Séléné envoie ses rayons bleutés sur le désert
du Sahara, mettant en évidence les ondulations du sable.

593 • Au-delà des sommets les plus hauts des Alpes, dans le froid sidéral,
notre satellite s'apprête à passer du second quart à la phase pleine de la lune.

● Obturateur ouvert,
objectif pointé vers le
nord, longue pose : le
résultat est un tourbillon
d'étoiles, dont le centre
traverse l'une des
arches de pierre de
l'Arches National Park,
dans l'Utah.

HAUTE VOLTIGE

RICCARDO NICCOLI

- Sur fond du drapeau tricolore français, la patrouille se sépare en deux formations.

INTRODUCTION Haute voltige

L'UNE DES MEILLEURES FAÇONS DE SE SENTIR IMMENSÉMENT LIBRE EST DE PRATIQUER L'ACROBATIE AÉRIENNE. RIEN, EN EFFET, NE PEUT OFFRIR DES ÉMOTIONS ET DES SENSATIONS PHYSIQUES ET VISUELLES PLUS INTENSES QUE LE FAIT DE S'ÉLANCER DANS LES AIRS ET D'ÉPROUVER L'ESPACE EN S'AFFRANCHISSANT DE LA PESANTEUR, À L'INSTAR DU DAUPHIN QUI JOUE EN LIBERTÉ DANS LES EAUX CRISTALLINES DE LA MER.

SI DANS LE DOMAINE DE L'AVIATION CIVILE, L'ACROBATIE AÉRIENNE – QUE CE SOIT DANS LE CADRE D'ÉPREUVES SPORTIVES OU PAR PUR DIVERTISSEMENT PERSONNEL – EST UNE DISCIPLINE ESSENTIELLEMENT INDIVIDUELLE, DANS LE SECTEUR MILITAIRE, ELLE EST ÉLEVÉE AU RANG DE SPECTACLE PAR LES EXHIBITIONS AUXQUELLES SE LIVRENT LES FORMATIONS DE PLANEURS.

INTRODUCTION Haute voltige

L'ACROBATIE AÉRIENNE NAQUIT PEU AVANT LA GRANDE GUERRE ET LE VOL COMPORTAIT ALORS DES RISQUES CONSTANTS POUR LA VIE. D'ABORD EXERCICE DE HARDIESSE, IL SE DÉVELOPPA DURANT LE CONFLIT COMME MANŒUVRE TACTIQUE DE COMBAT : IL S'AGISSAIT ALORS D'AMENER SON PLANEUR EN QUEUE DE CELUI DE L'ADVERSAIRE POUR L'ABATTRE. LES ACROBATIES EFFECTUÉES À BORD DE BIPLANS ET DE TRIPLANS FURENT ENSUITE AU CŒUR DE L'ENTRAÎNEMENT DESTINÉ À SÉLECTIONNER LES MEILLEURS PILOTES ET À LES FAIRE ALLER AU BOUT DE LEURS POSSIBILITÉS DANS L'ESPACE.

DANS LES ANNÉES 1920, C'EST LORS DU PREMIER VOL D'AVIONS DE CHASSE DE LA RÉGIE AÉRONAUTIQUE ITALIENNE QUE NAQUIT L'ACROBATIE COLLECTIVE QUI, À L'ÉPOQUE, VISAIT SURTOUT À DONNER CONFIANCE AUX JEUNES PILOTES. CETTE PREMIÈRE ESCADRILLE

INTRODUCTION Haute voltige

AVAIT SON SIÈGE À CAMPOFORMIDO, NON LOIN DE L'ACTUEL SIÈGE DE LA PATROUILLE ACROBATIQUE ITALIENNE DES « FLÈCHES TRICOLORES ». LES GENS DU FRIOUL S'HABITUÈRENT VITE À SUIVRE LES MAGNIFIQUES ÉVOLUTIONS ACCOMPLIES PAR LES FORMATIONS DE QUATRE BIPLANS – ET PARFOIS DAVANTAGE – QUI, EN RANGS SERRÉS, ÉVOLUAIENT DANS LE CIEL EN DESSINANT UNE SUCCESSION DE FIGURES DANSANTES.

AINSI SE CRÉÈRENT LES PREMIÈRES PATROUILLES ACROBATIQUES OFFICIELLES QUI, À PARTIR DE 1930, COMMENCÈRENT À PARTICIPER À DES MANIFESTATIONS ET À DES COMPÉTITIONS AÉRIENNES EN ITALIE ET DANS D'AUTRES PAYS. APRÈS LA SECONDE GUERRE MONDIALE, LE VOL ACROBATIQUE MILITAIRE EN FORMATION SE DIFFUSA DANS LE MONDE ENTIER. VITRINES DE LA JOIE DE VOLER,

INTRODUCTION Haute voltige

LES INSTRUMENTS DE GUERRE DEVINRENT SPECTACLE POUR LES
YEUX ÉBLOUIS DES ENFANTS ET, AUJOURD'HUI ENCORE, LES ACRO-
BATIES AÉRIENNES SOULÈVENT LES FOULES DU MONDE ENTIER PAR
LEURS ÉVOLUTIONS À COUPER LE SOUFFLE, SAVANT MÉLANGE DE
TECHNIQUE, DE FANTAISIE, D'HABILETÉ, DE PRÉCISION ET DE RISQUE
CALCULÉ.

Italie

602 • Un ciel britannique typique sert de toile de fond aux démonstrations
des « Frecce Tricolori » à Fairford, en 2002

603 • La « Grande aile » est une figure difficile qui sert de bouquet final à la démonstration.

● Les Aermacchi MB.
339A/PAN des
« Frecce Tricolori »
complètent la figure
de « l'Éventail ».

● Au cours de la « Grande Aile », la Patrouille doit voler à la plus petite vitesse possible sans que les neuf appareils ne perdent le contact entre eux.

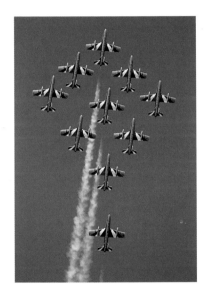

608 ● Les dix MB. 339A/PAN des « Frecce Tricolori » sont ici saisis en montée verticale.

609 ● La « Bombe » est une célèbre figure acrobatique
inventée en Italie dans les années 1930.

610 • Un croisement spectaculaire des « Frecce » dans le ciel de Kecskemét (Hongrie) en 2003.

611 • Cette photo montre la séparation verticale en deux formations des « Frecce Tricolori », qui précède le « Cardioïde »

612-613 • Les fumées blanches des « Frecce Tricolori » soulignent l'ouverture de la « Bombe » tandis que, d'en bas, le soliste monte vers le centre de la figure.

● Deux moments d'un cabrage de la formation,
qui dessine dans le ciel un long sillage blanc.

France

616-619 • La Patrouille de France, composée de huit Alpha Jet, s'emploie
à tracer dans le ciel trois figures classiques du répertoire, respectivement :
« Le tonneau en Té », « Le diamant dos » et « Le Shérif »

620-621 • La Patrouille de France
survole ici la principauté de Monaco
(à gauche) et l'Arc de Triomphe
de l'Étoile à Paris (à droite).

622-623 • La Patrouille de France
inaugure la saison 2003 en Vendée.

Espagne

624 • Les deux CASA C.101 de la « Patrulla Aguila » espagnole semblent s'effleurer à l'instant de ce croisement.

625 • L'aviation espagnole présente dans tous les ciels du monde sa « Patrulla Aguila », équipée d'appareils d'entraînement CASA C.101.

Suisse

626 • Les Northrop F-5E de la Patrouille suisse forment ici la figure « Manta ».

627 • Jusqu'en 1994, la Patrouille suisse volait sur des Hawker Hunter F58.

Royaume-Uni

Les « Red Arrows » ont été formés en 1964 et rassemblent une sélection des meilleurs pilotes de la Royal Air Force. Pour leurs évolutions, ils utilisent les puissants et souples BAE SYSTEMS Hawk T. Mk.1.

● Deux prises de vue des « Red Arrows » saisies dans le ciel
plombé du Royal international Air Tattoo 2002, à Fairford.

● Une formation de trois Hawk des « Red Arrows » saisie au décollage. La distance entre les appareils est inférieure à trois mètres.

● Les croisements et les cabrages dangereux des pilotes
des « Red Arrows » les ont rendus célèbres dans le monde
entier. Ils sont ici en démonstration dans le ciel anglais.

● Les sillages colorés des « Red Arrows » se mêlent apparemment
au hasard durant une figure croisée ; il n'a cependant pas sa place ici.

638 et 639 ● Presque toutes les patrouilles de voltige proposent dans leur programme un croisement rapproché, figure aussi spectaculaire et hardie que techniquement éprouvée.

640-641 ● Deux impressionnantes volutes couplées dessinent un entrecroisement de traînées aux couleurs de la RAF.

États-Unis

642 • Un cabrage en formation parfaite est offert par la patrouille de l'US Air Force, les « Thunderbirds », durant un meeting aérien à Dayton, en 2003.

643 • La classique ouverture en « bombe » dans une version proposée par la patrouille de la marine américaine, les « Blue Angels ».

644 • Passage étroit en aile droite pour ces quatre F-16C des « Thunderbirds »,
durant le meeting de Dayton en 2003.

645 • Les « Thunderbirds » se présentent au public de Fort Lauderdale (Floride) en 2003.

646-647 • Très rapprochés, les quatre avions de l'US Air Force
se déplacent en parfaite synchronisation.

648 • Les positions du ciel et de la terre sont très relatives pour les pilotes
des « Blue Angels » dans ce passage mixte « droit-renversé ».

649 • La patrouille des « Blue Angels » vole sur avion de chasse Boeing F/A-18A Hornet,
ceux-là mêmes qui sont embarqués sur les porte-avions.

650 • Les deux solistes des « Blue Angels » sont ici saisis en vol,
alors qu'ils se croisent à quelques mètres à peine.

651 • Une transformation en piqué est offerte au public de Fort Lauderdale,
au cours du show aérien de 2004.

652-653 • Un classique des « Blue Angels » est la figure dite « en miroir ».
Deux avions avec train d'atterrissage et crochet d'appontage sortis
volent côte à côte à moins de trois mètres l'un de l'autre.

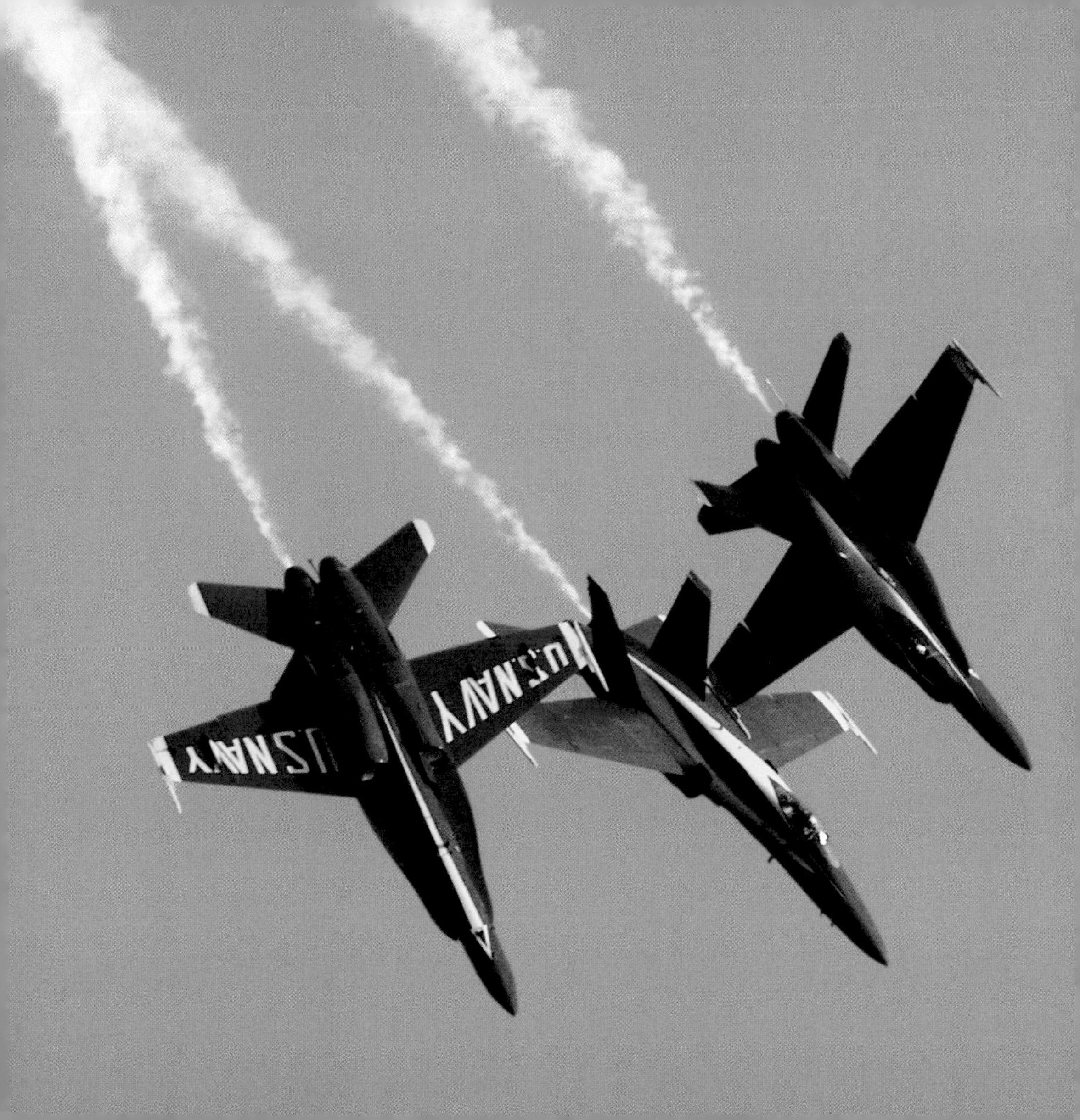
U.S. NAVY
U.S. NAVY

654 • La figure en « miroir renversé », effectuée par des avions décalés de quelques mètres à peine, trains d'atterrissage visibles, est parmi les plus difficiles.

655 • L'effet optique produit par le téléobjectif semble faire des quatre F/A-18 Hornet un seul et même appareil.

Canada

656 ● Les « Snowbirds » se dressent dans le ciel en maintenant une difficile formation frontale en ligne.

657 ● Les « Snowbirds » exécutent le « diamant » près de la base de Nellis, dans le Nevada.

658-659 ● Les neuf appareils d'entraînement CT-114 Tutor de la patrouille canadienne
« Snowbirds » dessinent ici un nœud dans le ciel de Abbotsford, au Canada.

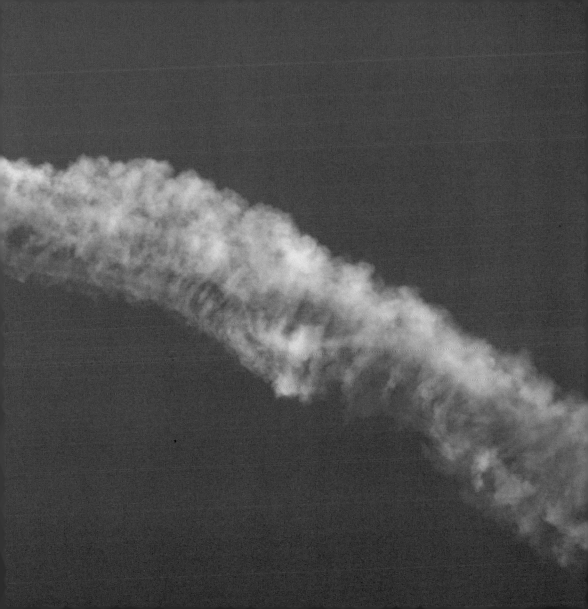

Chili

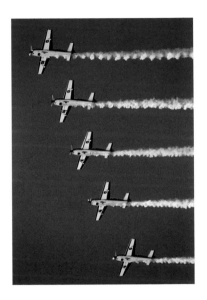

660 ● La patrouille de voltige chilienne a été photographiée durant un passage
en aile sur la base aérienne de Nellis, au cours du Golden Air Tattoo de 1997.

661 ● Voici un « break » dynamique offert par les appareils à hélice
Extra 300 de la patrouille chilienne des « Halcones ».

Brésil

662 • Les six Embraer EMB.312 Tucano de la patrouille brésilienne
sont ici photographiés dans le ciel de Abbotsford, au Canada.

663 • Les quatre Tucano de la patrouille brésilienne « Esquadrilha da Fumaça »
sont des appareils d'entraînement à turbopropulseur.

Les photos montrent ici un passage en formation en « T » et l'ouverture
de la « Bombe » de la patrouille « Esquadrilha de Fumaça », formée
de six turbopropulseurs Tucano de l'aéronautique brésilienne.

AUX CONFINS DE LA NUIT

JASMINA TRIFONI

- Le soleil descend dans le ciel suédois, créant un magnifique jeu de couleurs sur l'horizon.

INTRODUCTION Aux confins de la nuit

Depuis l'Antiquité, l'être humain redoute les éléments naturels et il donne une signification mystérieuse ou une symbolique spirituelle aux évolutions de la terre : il s'est servi de la lune pour former les calendriers, des étoiles pour parcourir les mers, et il a même inventé des mythes et des dieux de commencement et de fin, de naissance et de mort, à propos de l'aube et du crépuscule.

Avec le temps et les découvertes scientifiques et technologiques, l'homme est passé de la peur à la connaissance et à la compréhension des différentes lois qui régissent la nature. Mais son admiration n'a pas faibli, car en vol, au-dessus des nuages, le spectacle est toujours fascinant. Ainsi, sous les tropiques, on ne peut qu'être impressionné

INTRODUCTION Aux confins de la nuit

PAR L'ESTHÉTIQUE DE CES PHÉNOMÈNES POURTANT QUOTIDIENS QUE SONT LES AURORES ET LES CRÉPUSCULES.

LA PALETTE DU CIEL SEMBLE FAITE POUR ÊTRE PEINTE OU PHOTO-GRAPHIÉE : C'EST UNE EXCEPTIONNELLE AUBE À CUBA, AVEC L'ASTRE ORANGE QUI SEMBLE NAÎTRE DES PROFONDEURS DE L'OCÉAN ; C'EST UN COUCHER DE SOLEIL EN NORVÈGE, SUR LA LIGNE D'HUR-TIGRUTEN, SOUS LE SOLEIL DE MINUIT, AVEC LE DISQUE ROUGE QUI S'APPUIE SUR LA MER ET SE RELÈVE TOUT AUSSITÔT POUR POINDRE À NOUVEAU ; C'EST LE CIEL EMBRASÉ QUI SE REFLÈTE SUR LA SCÈNE DE MONUMENT VALLEY ; C'EST UN CRÉPUSCULE VU D'UN CHÂTEAU ÉCOSSAIS, AVEC LES RAYONS DU SOLEIL QUI SE BRISENT SUR LA SURFACE RIDÉE D'UN LAC, POUR MOURIR DERRIÈRE UNE COLLINE ; C'EST LE RAPIDE DÉCLIN DU JOUR PRÈS DU SALAR D'UYUNI EN

INTRODUCTION Aux confins de la nuit

Bolivie où, en raison de l'altitude, le ciel acquiert des tons impossibles à décrire ; c'est, enfin, cet autre ciel écarlate de l'Ayers Rock, roche sacrée pour les aborigènes d'Australie, et la mystique attente de l'aurore dans l'obscurité la plus profonde.

Les ciels nocturnes eux-mêmes ont leurs propres lumières et leurs propres tonalités, parfois sévères, parfois magiques ; et rarement l'ombre est assez profonde pour que d'autres couleurs que le noir ne se laissent entrevoir.

- À la mi-janvier, en Suède, le soleil se lève aux environs de 8 h 30, générant chaque jour un spectacle nouveau de lumières et de couleurs.

672-673 • Paysage d'hiver à Ruhenstein, en Forêt-Noire, l'une des localités les plus appréciées d'Allemagne.

674-675 • La mer froide qui baigne les côtes finlandaises s'est souvent révélée une expérience mystique pour les voyageurs, quand les premières tiédeurs printanières provoquent d'incroyables mirages.

674-677 • L'immense plaine de rizières qui entoure la région de Vercelli, en Italie, offre un paysage lagunaire de mars à octobre, quand les terrains sont recouverts d'eau.

678-679 • Le soleil se lève derrière un promontoire du sud de l'Espagne, donnant au ciel couvert une coloration irisée.

680-681 •
Un lumineux coucher
de soleil incendie Punta
Arenas, le long du
détroit de Magellan.

682-683 •
Rejoint par un
compagnon, un
éléphant commence sa
caractéristique « douche
de poussière » sous le
ciel du Botswana.

684-685 • Dans la
lumière du soleil levant,
un groupe d'impalas
broute dans la savane,
à l'intérieur de la
réserve nationale du
Masai Mara, au Kenya.

Chaque automne,
durant leur migration
entre l'Europe et
l'Afrique, des centaines
d'espèces d'oiseaux font
halte dans le parc
national du Neusiedlersee,
en Autriche.

688 ● Durant l'hiver, des milliers d'oies canadiennes migrent vers le Colorado pour nidifier.

689 ● Les magnifiques couleurs du ciel au coucher du soleil se reflètent
dans le lac Hamilton, en Floride.

690-691 ● Le bref crépuscule des tropiques tombe sur la forêt cambodgienne.

692-693 ● Au coucher du soleil, une lumière chaude et délicate se répand sur l'île d'Anna Maria, en Floride.

694-695 ● Des zèbres de Burchell paissent sous d'immenses bancs de nuages qui dérivent dans le ciel de Namibie, au-dessus du parc national d'Etosha.

● À la saison hivernale, les nuances bleues et roses du ciel suédois se font plus intenses, offrant des points de vue inoubliables.

● En quelques instants,
le jour s'éteint le long
des côtes de Bornéo,
où le soleil se couche
exactement à la même
heure toute l'année.

700 • Grands volatiles océaniques, quelques frégates aux longues
et fines ailes sillonnent le ciel des Galápagos.

701 • Au coucher du soleil, des groupes de canards se reposent au sein
de l'avifaune de la réserve de Bosque del Apache, au Nouveau-Mexique,
qui abrite des centaines d'espèces d'oiseaux.

● La lumière du coucher de soleil teinte le ciel de lueurs inhabituelles, laissant dans la pénombre la plaine de la Provence où se découpe un arbre solitaire.

704-705 • Les reflets du coucher de soleil créent des contrastes spectaculaires
dans les nuages de moyenne et haute altitude, les derniers à refléter les rayons solaires
quand la terre est déjà plongée dans l'obscurité.

706-707 • Le Colorado, lieu de prédilection de phénomènes climatiques violents, offre souvent,
après le passage de la tornade, des ciels qui sont parmi les plus spectaculaires du monde.

708-709 • Le calme après la tempête, aux îles Fidji, se manifeste de façon stupéfiante : ici, le haut cumulonimbus au fond du ciel projette son ombre sur les nuages qui le surplombent.

710-711 • Le soleil couchant, sur les côtes finlandaises, se reflète en miroir dans les calmes eaux de la mer.

712 et 713, 714-715 • La saison des pluies, entre novembre et avril,
n'est pas la meilleure pour jouir du soleil de Polynésie, mais les spectacles
offerts par le ciel et par les nuages n'ont pas leurs pareils.

716-717 • Des oiseaux aquatiques survolent la lagune de Gallocanta
en Espagne, pendant un coucher de soleil.

718-719 ● Semblable à un lointain mirage, un atoll émerge dans la lumière d'un coucher de soleil polynésien.

720-721 ● Comme les flammes d'un énorme incendie, des nuages rougis par le soleil annoncent le crépuscule sur une forêt suédoise.

722-723 ● Au coucher du soleil, juste avant la tombée de la nuit, le ciel de la lagune de Gallocanta, en Espagne, offre le spectacle d'une volée de hérons.

724-725 •
Les célèbres couchers
de soleil de la réserve
de Masai Mara, dans la
savane du Kenya,
découpent des profils
émouvants.

726-727 •
La Finlande, terre de
lacs, a la caractéristique
de réfléchir les merveilles
du ciel à la surface de
ses innombrables
miroirs naturels.

AUTEURS Biographies

■ **MAURIZIO BATTELLO**, photographe et journaliste indépendant, est passionné de peinture et de photographie. Il privilégie les sujets naturels, notamment les ciels et les nuages. Ces dernières années, il a organisé diverses projections de ses voyages, participé à des expositions d'art et de photos, personnelles ou collectives, et à des événements artistiques divers (« performances » dans des établissements publics, installations en extérieur, etc.). Certains de ses travaux ont été publiés dans des revues de nature et de tourisme, dans des livres d'art et d'histoire locale. Depuis des décennies, quelles que soient les conditions météorologiques, il traque les ciels du monde entier, avec l'espoir d'immortaliser un jour une aurore boréale. Battello capte tous les phénomènes qui se déroulent au-dessus de nos têtes, qu'ils soient naturels (orages, aubes, couchers de soleil) ou artificiels (fumées chimiques ou de cheminées) pour témoigner de la frontière ténue entre terre et ciel. Son rêve secret est de réaliser un spectacle dans un planétarium, dans la perspective d'inviter à une profonde réflexion spirituelle sur le rapport entre l'homme et la nature.

■ **ARIEL BRUNNER,** expert en biodiversité et spécialiste en matière de politique et de législation de l'Union européenne, est également responsable du secteur agricole européen de BirdLife International, principal réseau mondial d'associations consacrées à la conservation de l'avifaune. Au cours de ces cinq dernières années, il a travaillé au sein de la LIPU (Ligue Italienne pour la Protection des Oiseaux) comme responsable national du secteur IBA (aires importantes pour l'avifaune). Il est également partenaire de Natura 2000, qui veille à la protection des sites naturels menacés et à l'application des directives communautaires en ce qui concerne l'environnement. De ses années d'adolescence passées en Israël – véritable paradis ornithologique – il garde la passion des oiseaux.

■ **LUCA MERCALLI,** président de la Société Météorologique italienne, dirige depuis 1993 la revue météorologique *Nimbus*. Il est aussi l'auteur de

80 publications scientifiques et de plus de 500 articles de vulgarisation parus dans *La Repubblica* et dans diverses revues sur la montagne. Agrégé de climatologie et de glaciologie, il a été en charge de travaux à l'université et à l'Institut polytechnique de Turin. Responsable de l'Observatoire météorologique du Real Collegio Carlo Alberto de Moncalieri, il est membre du comité scientifique du Club Alpin Français et du WWF, secteur Italie et a déjà publié quelques ouvrages sur le thème du climat.

■ RICCARDO NICCOLI,

journaliste, écrivain, photographe et éminent historien en aéronautique, publie des articles et des photos dans des revues spécialisées depuis 1982. Fondateur de la maison d'édition RN Publishing, il est directeur des annuaires *Coccarde Tricolori* et *Compagnie & Aeroporti*. Diplômé en sciences politiques, il travaille aussi en collaboration avec de nombreuses publications et maisons d'édition internationales. Aux éditions Gründ, il a déjà publié *Le Rêve d'Icare, histoire de l'aviation*.

■ CARLOS SOLITO,

passionné de voyage et de photographie, réalise des reportages de photojournalisme dans le monde entier, privilégiant les thématiques humaines et paysagères. Il a opté pour la liberté du travail en indépendant, et nombre de revues internationales de tourisme, de voyage, de milieux naturels et d'aventure publient mensuellement ses articles et ses photos. Il participe également à la réalisation de guides touristiques auprès de divers éditeurs prestigieux. Passionné de spéléologie, de parapente et de sports de plein air, il est surtout attiré par la montagne. Quand il ne voyage pas, il vit en Italie à Irpinia.

■ JASMINA TRIFONI,

diplomée en sciences politiques de l'université de Padoue, journaliste spécialisée dans le tourisme, elle travaille à la rédaction de *Meridiani*. Voyageant autant par passion que pour les besoins de sa profession, elle possède de solides connaissances ethnoculturelles sur l'Inde, le Sud-Est asiatique et les pays du Moyen-Orient. Elle collabore actuellement à diverses revues italiennes.

INDEX

Les numéros de page en *italique* renvoient aux légendes des illustrations.

A

Abbotsford *656, 662*
Agathe Beach *514*
Alaska *588*
Alberta *12*
Albuquerque *12, 362, 376*
Aldrin, Edwin 37
Allemagne 87, *195, 672*
Alpes *592*
Alpes néo-zélandaises *470*
Alpes suisses *358, 447*
Amazonie *475*
Amérique du Nord *304, 316*
Amérique du Sud *56, 318*
Andes *282*
Angleterre *26*
Angkor Thom *236*
Angkor Vat *155, 236*
Anna Maria, île d' *692*
Annapurna, mont *231*
Antarctique *552*

Antilles *59, 68*, 475
Antilles néerlandaises *520*
Argentine *528*
Arizona *261*
Armstrong, Neil 37
Arrigo, Angelo d' *464, 466*
Athènes *220*
Atlantique, océan *52, 54, 59*, 88, *478, 486, 575*
Australie *12, 78, 105, 176, 266, 268, 273, 540, 670*
Autriche *687*
Avondale *549*
Ayers Rock *105*, 176, *266*, 670

B

Bahamas *59, 67*
baie de Californie *65, 166*
Bangkok *236*
Belize *525*
Big Spring *97*
Blanc, mont *199*
Bolivie 670
Bornéo *162, 699*

Bosque del Apache *12, 300, 318, 700*
Boston *72*, 245
Bothell *530*
Botswana *683*
Boulder *100, 512*
Bridge Creek 87

C

Californie *463*
Cambodge *155, 688*
Cambridgeshire *26*
Canada *12, 559, 566, 656, 662*
Canyonlands *581*
Cap Vert, îles du *59*
Capraia, île de *206*
Caraïbes *65, 318*
Caroline du Nord *72*
Cassiar, monts *566*
Chao Phraya *236*
Chine *26, 236*
Collins, Michael, 37
Colorado *12, 84, 100, 128, 155, 162, 166, 472, 480, 497, 512, 522, 530, 538, 549, 688, 704*
Cook, mont *470*
Cordoba 416

Cosson *188*
Costa Rica *522*
Cuba *68, 736*

D

Dakota du Sud *121, 128, 140, 153*
Darwin *540*
Dayton *642, 644*
District des Lacs *561*
Dyer Island *344*

E

Écosse *185, 525*
El Paso, comté d' *155*
Espagne *188, 672, 712, 718*
États-Unis *56, 134, 140, 335, 575*
Etna, mont *507*
Etosha Pan *476*
Everest, mont *26, 464, 466*
Everglades *294*

F

Fairford *602, 630*
Fidji, îles *708*
Finlande *12, 188, 561, 672, 708, 725*

Fjordland *572*
Florence *212*
Floride *54, 67, 70, 251, 294, 644, 688, 692*
Foggia *12*
Forêt -Noire *672*
Fort Landerdale, *644, 650*
France *26, 188, 199, 414, 616*
Francfort *195*
Fuji, mont *245*

G

Gagarine, Youri 37
Galápagos, îles *700*
Galilée 24
Gallocanta, lagune de *712, 718*
Gange *312*
Gayardon, Patrick de *418*
Géorgie du Sud *478*
Giuba, fleuve *76*
Grande-Bretagne *140*
Grandes Antilles *70*
Groenland *316*
Grosseto *206*
Guadeloupe, île de la *52, 76*

H

Haïti, île d' *68*
Hamilton, lac *688*
Hampshire *140*
Hawaï, îles *56, 575*
Hill, comté de *520*
Hongrie *610*
Huerfano County *522*

I

Iguaçú, chutes d' 475
Illinois *111*
Inde *225, 231*
Île du Sud (Nouvelle-Zélande) *546, 572*
Istanbul *220*
Italie *12, 199, 320, 672*

J

Jackson Hole *581*
Japon *245, 316*
Java, mer de *34*

K

Kansas *82, 95, 116, 140, 149, 549*
Kecskemét *610*
Kenya *108, 121, 276, 683, 725*

Khumbu, glacier du *466*
Kilimandjaro, mont *276*

L

La Spezia *206*
Las Animas, comté de *472*
Lee, Mark C. *38*
Léonard de Vinci 24, 353
Lhassa *225*
Liberal *116*
Lilienthal, Otto 353, *456*
Loire, vallée de la *188*
Londres *197*
Lopez-Alegria, Michael *44*
Los Angeles *251*
Louisiane *67*

M

Magellan, détroit de *683*
Malouines *347*
Masai Mara *108, 683, 725*

Massachusetts *72, 245*
Maui, île de *575*
McKinley, mont *588*
Meade, Carl J. *38*
Méditerranée, mer *281, 292, 328*
Melville, Herman 84
Mexique *166*
Mexique, golfe du *67*
Miami *251*
Michigan *540*
Midway *322*
Midwest *128*
Monaco, Principauté de *621*
Montana *520*
Monument Valley *178, 261, 669*
Moscou *186*
Mulvane *95*
Mungo, lac *268*
Musgrave, Story *40*
Myanmar *231*
Mysore *225*

N

Namib, désert du *366*
Namibie *476, 692*

INDEX

Nebraska *97, 102, 153, 155*
Nellis, base de *656*
Népal *26, 231*
Nevada *656*
New York 176, *245*
Norvège *178, 564,* 669
Nouveau-Mexique *12, 128, 300, 318, 362, 376, 700*
Nouvelle-Zélande *546, 572*

O
Oklahoma 87
Olgas, monts *273*
Oregon *514*

P
Pacifique, océan *74, 80,* 88, *166, 347, 410*
Pagan, vallée de *231*
Paris *174,* 176, *193, 621*
Patagonie *111,* 475
Pays-Bas *22*
Peterson, Donald *40*
Petites Antilles *63*
Pise *212*

Pô, plaine du *320*
Polynésie *712, 718*
Polyakov, Valery *48*
Portugal *486*
Potala *225*
Prague *197*
Provence *703*
Pueblo, comté de *512, 538*
Puerto Natales *111*
Punta Arenas *683*

R
Ritzville *121*
Rome 176, *214*
Ruhenstein *672*
Russie *570*

S
Sahara 281, *592*
Salar de Oyuni 669
Samye *225*
San Francisco *251*
Seattle *251*
Ségovie *188*
Seine, la *193*
Shanghai *236*
Sibérie *316*
Sienne *211*
Sierra Nevada *538*
Simpson, baie de *520*

Skye, île de *525*
Somalie *76*
Supérieur, lac *540*
Suède 12, *188, 670, 718*
Suisse 87, *199*

T
Tahiti *413*
Tanzanie *276*
Territoire du Nord (Australie) *134, 540*
Texas *128*
Tibet *225, 231,* 475
Tioga, col de *538*
Topeka *549*
Trentin-Haut-Adige *199*
Troms *178*

U
Uluru *105, 266,* 670
Utah 176, *178, 261, 581, 595*
Uxmal *265*

V
Vendée *621*
Venise *202, 204*
Vercelli *672*

Verga 84
Victoria, État de *268, 273*
Vivaldi 84

W
Washington D.C. *251*
Washington, État de *121, 530*
Wright, Orville et Wilbur 353
Wyoming *581*

Y
Yarlung Tsangpo *231*
Yucatán *265,* 475
Yukon *566*

CRÉDITS PHOTOGRAPHIQUES

3612/Gamma/Contrasto : pp. 620-621

A742/Gamma/Contrasto : pp. 652-653

Aerial Focus/Zefa/Sie : pp. 400-401

Aflo/Agefotostock/Marka : pp. 386, 394-395, 402-403, 407

Ainaco/Corbis/Contrasto : pp. 362, 372, 382

Carles Allende/Agefotostock/Marka : pp. 504-505

Louis M. Alvarez/AP Photo : pp. 649, 650

Yann Arthus-Bertrand/Corbis/Contrasto : pp. 124-125

Atlas Photo Bank/Astrofoto : pag. 567

Antonio Attini/Archivio White Star : pp. 206, 207

Craig Aurness/Corbis/Contrasto : pp. 182, 250-251, 570-571, 576-577, 592

Maurizio Battello : p. 484

Tom Bean/Corbis/Contrasto : pp. 118-119, 129

Hal Beral/Corbis/Contrasto : pp. 320, 324-325

Richard Berenholtz/Corbis/Contrasto : pp. 704

Marcello Bertinetti/Archivio White Star : pp. 11, 89, 154-155, 162-163, 166 167, 179, 186-187, 204, 205, 208-209, 214-215, 216-217, 228-229, 232-233, 252-253, 458-459, 676-677, 690-691, 698-699, 712, 713, 714-715, 716-717, 718-719, 736

Bettmann/Corbis/Contrasto : p. 384

Walter Bibikov/Sime/Sie : pp. 274-275, 680-681

Paul Bigland/Lonely Planet Images : pp. 708-709

Fergus Blakinston/Lonely Planet Images : pp. 471, 546-547

Bourbon/Spin 360 : pp. 466-467

Laurent Bouvet/Rapsodia : pp. 198-199

Kathleen Brown/Corbis/Contrasto : pp. 582-583

Alberto Canobbio : p. 279

Sheldan Collins/Corbis/Contrasto : pp. 122-123, 224-225

Richard Cooper : pp. 628, 629, 634, 635, 640-641

Corbis/Contrasto : pp. 35, 48, 49, 52, 54, 55, 56, 58-59, 74, 75, 76, 77, 80, 81

Philip James Corwin/Corbis/Contrasto : p. 530

Patricia Cowern : pp. 562, 564-565, 566, 667, 696, 697, 720-721

Richard Cummins/Corbis/Contrasto : pp. 256-257

Manfred Dannegger/Nhpa : p. 295

Jon Davies/Jim Reed Photography/Corbis/Contrasto : pp. 149, 548-549

Vitantonio Dell'Orto : pp. 306-307

M. Delpho/Blickwinkel : p. 296

Alain Denantes/Gamma/Contrasto : pp. 622-623

Benno De Wilder/BP/Zefa/Sie : p. 388

Alan Diaz/AP Photo : pp. 643, 648

Jay Dickman/Corbis/Contrasto : pp. 584-585, 593

Digital image © 1996 CORBIS ; avec l'aimable autorisation de la NASA/Corbis/Contrasto : pp. 40, 42, 42-43, 53, 78, 79, 487

Geoff Dore/Naturepl.com/Contrasto : pp. 144-145

Richard Du Toit/Naturepl.com/Contrasto : pp. 342-343, 682-683

Colin Dutton/Sime/Sie : pp. 220-221

Terry W. Eggers/Corbis/Contrasto : p. 294

John Elk III/Lonely Planet Images : p. 383

Explorer/Agefotostock/Marka : p. 575

Renato Fano e Annamaria Flagiello : pp. 722-723

Olimpo Fantuz/Sime/Sie : pp. 184-185, 190-191, 524-525

Franco Figari : pp. 674-675, 710-711, 726-727

Firefly Productions/Corbis/Contrasto : pp. 436-437, 438-439

Kevin Fleming/Corbis/Contrasto : pp. 6-7, 380-381

David R. Frazier/DanitaDelimont.com : pp. 502-503

Michael Freeman : pp. 238-239

R. Fuller/D. Madison/Zefa/Sie : pp. 428, 429

Gallo Images/Corbis/Contrasto : p. 340

Carson Ganci/Agefotostock/Marka : pp. 558-559, 559

Roberto Giudice : pp. 102-103

GranataImages.com : pp. 360, 387, 392, 393, 394, 396-397, 414-415, 424, 425, 452-453, 454-455

Annie Griffiths Belt/Corbis/Contrasto : pp. 152-153

Franck Guiziou/Hemispheres Images : p. 293

David Hancock/Anzenberger/Contrasto : pp. 16-17, 136-137, 518-519, 544-545

George Hall/Corbis/Contrasto : pp. 355, 611

Martin Harvey/Corbis/Contrasto : p. 341

Hannu Hautala : pp. 4-5

Tony Heald/Naturepl.com/Contrasto : p. 284

J.D. Heaton/Agefotostock/Marka : pp. 244-245

Hans-Peter Huber/Sime/Sie : p. 481

Johanna Huber/Sime/Sie : pp. 213, 222-223, 268, 270-271

Mike Hollingshead/Jim Reed Photography/Corbis/Contrasto : pp. 150-151

Aaron Horowitz/Corbis/Contrasto : pp. 20-21, 557

Dave G. Houser/Corbis/Contrasto : p. 269

Richard I' Anson/Lonely Planet Images : p. 451

José Antonio Jimenez/Agefotostock/Marka : pp. 678 679

Dennis Jones/Lonely Planet Images : p. 450

Joson/Zefa/Sie : p. 212

Wolfgang Kaehler/Corbis/Contrasto : pp. 286-287

G. Kalt/Zefa/Sie : pp. 390, 442-443

Layne Kennedy/Corbis/Contrasto : pp. 132-133

Keith Kent/Agefotostock/Marka : pp. 404-405

Ralf Krahmer/Sime/Sie : p. 313

Frederic Lafargue/Gamma/Contrasto : pp. 618-619

Robert Landau/Corbis/Contrasto : p. 508

Mark Laricchia/Corbis/Contrasto : pp. 106-107

Lester Lefkowitz/Corbis/Contrasto : p. 361

CRÉDITS PHOTOGRAPHIQUES

Joseph Sohm ; Vision of America/Corbis/ Contrasto : pp. 488-489

Pual A. Souders/Corbis/Contrasto : pp. 594-595

Riccardo Spila/Sime/Sie : p. 188

Spin 360 : pp. 32-33, 351, 464, 464-465, 468-469

Hans Strand/Corbis/Contrasto : pp. 471, 671

Vince Streano/Corbis/Contrasto : pp. 364-365

Dallas Stribley/Lonely Planet Images : p. 458

Jim Sugar/Corbis/Contrasto : pp. 456-457

Sunbird Photos by Don Boyd : pp. 645, 655

Superstock/Agefotostock/Marka : pp. 574-575

Chase Swift/Corbis/Contrasto : pp. 688

Brian Sytnyk/Masterfile/Sie : pp. 432, 433

Bela Szandelasky/AP Photo : pp. 597, 610

Nik Tapp/Lonely Planet Images : pp. 528-529

Wes Thompson/Corbis/Contrasto : pp. 485, 532-533

Mark Tomalty/Masterfile/Sie : pp. 370-371

David Tomlinson/Lonely Planet Images : p. 189

Craig Tuttle/Corbis/Contrasto : pp. 515, 516-517

M. Udema/Zefa/Sie : pp. 448-449

Laurent Van Der Stock/Gamma/Contrasto : p. 617

Onne Van Der Wal/Corbis/Contrasto : pp. 477, 572-573

Ruggero Vanni/Corbis/Contrasto : pp. 264-265

Jeff Vanuga/Corbis/Contrasto : pp. 336-337

Giulio Veggi/Archivio White Star : pp. 218-219

A. & J. Verkaik/Corbis/Contrasto : pp. 104-105, 112-113, 116-117, 128, 140-141, 500-501

Tom Vezo/Naturepl.com/Contrasto : p. 701

Steve Vilder/Sime/Sie : pp. 368, 369, 371

Simon Vioujard/Gamma/Contrasto : p. 621

Jim Wark : pp. 1, 2-3, 85, 158-159, 162, 164-165, 168-169, 170-171, 172-173, 262-263, 473, 480, 482-483, 492-493, 494-495, 496-497, 498-499, 512, 513, 520, 521, 523, 534-535, 538-539, 540-541, 550-551, 568-569, 692-693, 706-707

Adrian Warren/Lastrefuge.com : pp. 607, 631, 638, 639

Randy Wells/Corbis/Contrasto : pp. 160-161

Michele Westmorland/Corbis/Contrasto : pp. 366-367

Staffan Widstrand/Corbis/Contrasto : pp. 290-291

H. Wiggers/Zefa/Sie : pp. 23, 389, 399, 408-409, 417, 420-421, 422-423, 431

Dennis Wilson/Corbis/Contrasto : pp. 510-511

Doug Wilson/Corbis/Contrasto : pp. 126-127

Mike Woggoner/Corbis/Contrasto : pp. 182-183

M. Woike/Blickwinkel : p. 292

Adam Woolfitt/Corbis/Contrasto : p. 356

David Zimmerman/Masterfile/Sie : pp. 434-435

Jim Zuckerman/Corbis/Contrasto : pp. 27, 194-195, 700

Une averse estivale obscurcit l'horizon au large de la côte septentrionale de Cuba.